JN106724

成長戦略は台湾に学べ

日台ビジネスコンサルタント
御堂裕実子

日本人が知らない隣人の実力

Taiwan's growth strategy is the best model.

かんき出版

はじめに

日本と台湾の新たな関係

私が初めて台湾を訪れた2005年のことです。台湾についてあまり知らないまま、単に「近いから」という安易な理由から思い立った台湾訪問でした。

ところが実際に行ってみると、台湾の人たちの優しさと日本に対する熱い思いに触れ、大きな衝撃を受けることになったのです。

「こんな魅力的なところが日本のすぐ隣にあるとは思わなかった……」

滞在中、何度もこんな思いにとらわれました。

1日、1日と台湾を巡るうちに私の台湾に対する興味はさらに高まり、1週間の滞在が終わるころにはついに「日本と台湾が両想いになるための懸け橋になりたい」と思うほど魅了されてしまったのです。

それから1年後、私は日本での仕事を辞め、再び台湾に向かうことになりました。

到着後、日本語教師として職を得ると、働きながら現地大学の語学センターで中国語を学びました。

　そんな生活を続けながら徐々に視野を広げていったのです。

　その後、あるきっかけから、私は日本の企業や地方自治体の台湾でのプロモーション支援および、日本と台湾の企業を繋ぐコンサルタントの仕事をするようになりました。

　しばらくして、日本に帰国してからも、「日本と台湾の懸け橋になる……」という私の気持ちは冷めることなく、２００８年、日台間のビジネスをより結び付けたいとの思いから、合同会社ファブリッジを立ち上げ、今にいたっています。

　世界の状況を見ると、隣接する国同士はしばしば緊張関係に陥りがちです。

　しかし、海を隔てて隣接する日本と台湾は違います。両者の間にはこれといった大きな問題はなく、平和な関係がこれまでずっと続いているのです。

　そうした状況ですから、本来であれば日台は今以上に親密で良好な関係が築かれていてもおかしくはありません。

にもかかわらず、日台の間には「台湾への興味関心が希薄な日本」と「日本への熱い思いを失わずに関係の深化を望み続ける台湾」というアンバランスな状態が、その時々で生じてきました。

その原因の1つとして、まずは中国の存在が考えられます。台湾に対する日本の姿勢は、しばしば中国との関係に影響されてきたのです。

大きな転換期の1つとして、1972年の日中国交正常化が挙げられます。これを境にして、日本の関心は中国へと注がれ、90年代に入って中国経済が驚異的な発展を遂げると、それまで以上に中国に視線を向け始めていきました。

友好的な関係を保ち続ける日本と台湾ですが、中国という要素が入ってくると、日本は台湾に対する態度をぐらつかせる傾向を見せてきたのです。

しかし、私が初めて台湾を訪れた2005年と今を比べると、状況は明らかに変わっています。以前は「台湾の片想い」とも言えるような状態でしたが、そのアンバランスさに気付いた日本は、台湾に関心を示し始め、視線を向けるようになりました。

その背景には**日台双方で発生した災害時の助け合いや日台間の活発な人的往来とい**

った要素に加え、台湾の堅調な経済成長などの影響があると考えられます。理由はどうあれ、日本と台湾の関係が緊密になるのは歓迎すべきことです。

「台湾からの熱き視線を受け止めるだけの日本（＝片想いの台湾）」
「日本から学ぶ台湾」

こうした構図がかつての日台関係でした。ところがその構図はすでに古いものとなっています。

「お互いに向き合う日台（＝両想いの日台）」
「台湾から学ぶ日本」

日台の関係は、こんな形に生まれ変わりつつあるのです。

これまで日本人が抱いていた「台湾観」はすでに時代遅れのものであり、これからはもう通用しません。

本書には、そうした旧来の「台湾観」を改めるための内容を数多く盛り込みました。
今の台湾を知り、これからの「新台湾観」を築く道しるべとなるのが本書の役目です。
それを果たせることを願っています。

2022年12月
著者

第1章

台湾ってどんなところ？

第2章

日本人がまだまだ知らない台湾人の考え方

第3章

日本とはまるっきり異なる台湾式ビジネスの進め方

第4章 台湾人の私生活

第5章

台湾はどうやって新型コロナ禍を乗り切ったのか

第1章

台湾って どんなところ？

Taiwan's growth strategy is the best model.

日本人が抱くイメージに収まりきらない台湾の素顔

「台湾」と聞いて、すぐに思い浮かぶのはどんなイメージでしょうか？

２０２０年に行われた調査で日本人に**「台湾に対する印象」**について尋ねたところ、標本数１０００人のうち、最多となる76・２％の人たちが「日本に友好的」、次いで50・５％が「食べ物がおいしい」、35・８％が「新型コロナウイルスの感染拡大を効果的に封じ込めている」と回答する結果となりました（台北駐日経済文化代表処〈台湾の駐日大使館的な機能を果たす実質上の外交組織〉による、日本全国の20～89歳を対象にした「日本人の台湾に対する意識調査」）。

実際のところ、台湾の話になると、**「親日的」「おいしい食べ物」「目覚ましい経済成長」**という言葉がよく出てきます。それを考えると、この調査が示す結果は台湾に対する日本人の意識をバランスよく表していると言えそうです。

世界が新型コロナウィルス感染症の大流行に見舞われる前年の2019年、日本から台湾へ訪れた人の数は約216万8000人でした。現在の日本の人口は約1億2580万人ですから、延べ数で言うと**約58人に1人が台湾を訪れていた計算**になります。

一方、同年に台湾から日本を訪れた旅行者数は491万1700人にのぼり、出境者全体の28・72%という高い割合を示していました。計算すると、台湾の人口約2360万人のうち、**延べ数で約4・8人に1人が日本を訪れていた**のです。

これらの数字が物語るとおり、新型コロナが発生するまでは年間700万人を超える日台の人たちが相互に行き来していました。その結果として、日本の人たちの間には冒頭のような台湾に対するイメージが固定化していったのでしょう。

台湾に密接に関わる当事者の1人としては、いずれのイメージもポジティブなものばかりなので、まずはホッとしています。しかしながら、そのどれもが台湾の大まかな姿を捉えたものという印象も正直なところ拭い切れません。

台湾には、これらのイメージだけでは語り切れない魅力と特徴が隅々に詰まっており、表の印象だけでは窺えない奥行きの広い社会が存在しています。それらに触れることなく、等身大の台湾に近づくことは不可能でしょう。これは何も台湾だけに限った話ではなく、他国のことを知ろうと思えば、できるだけ多くの角度から相手を見ていく姿勢が大切です。それを踏まえつつ、続く項目では様々な観点から台湾を捉え、その姿に迫っていきます。

日本人よりも幸せな人生を送る台湾人⁉

幅広い視点から台湾を理解するための手掛かりとして、まずは台湾の人たちの心のうちを探るべく、国際連合が毎年3月20日の「国際幸福デー」に発表する世界幸福度ランキングの結果に焦点を当ててみましょう。

２０２２年に発表された最新ランキングを見てみると、台湾は１４６カ国中、**26位**という高い位置にランクしています。日本のランキングは54位だったので、このデータを見る限りでは、台湾人の幸福度は日本人よりも高いようです。

もう1つの判断材料として、ＯＥＣＤ（経済協力開発機構）加盟の37カ国（当時）、およびブラジル、ロシア、南アフリカを対象とした、暮らしの11の分野（住宅、所得、雇用、社会的つながり、教育、環境、市民参画、健康、主観的幸福、安全、ワークライフバランス）の満足度を計測した２０２０年の**「より良い暮らし指標」**を見てみます。これによると、日本は全体の半分を下回る26位でした。

台湾はＯＥＣＤに加盟していないため、残念ながらこの指標には名前が出てきません。しかし、台湾の週刊ビジネス誌『天下雑誌』が「より良い暮らし指標」と同様の手法を用いて台湾で独自調査を行い、得られた指標をランキングに当てはめてみたところ、全体の**17位**に相当する順位であることがわかりました。

この指標について、もう少し詳しく分析していきます。

日本と台湾の調査結果を比較してみると、11分野の中で台湾人が日本人よりも高い満足度を感じているのは、**「住宅」「所得」「雇用」「治安」「市民参画」「健康」「主観**

的幸福」「ワークライフバランス」の8分野にもわたりました。

対する日本がより高い満足度を感じているのは、「環境」「教育」「社会的つながり」の3分野のみに留まっています。

あくまでも私の個人的な意見ですが、「社会的つながり」に高い満足度を示す日本は、会社や地域社会とより密接に繋がっていたいという傾向が強いのではないでしょうか。

一方、**台湾には、社会よりも家族や親族との繋がりをより大事にする傾向があるよ**うに感じます。例えば、日本に住む子育て世帯の台湾人女性の友人たちは、台湾にいる親や親族宛てに自分の子どもの画像をはじめ、きれいな花や景色などが写し出されたグリーティングカードを1日に何度も送るほど、身内との繋がりを大切にしているのです。

ランキングや指標は、調査の手法や答える側の幸せの基準によって結果が変わってくる可能性も考えられます。ただし、ここで紹介した2つの調査を見る限りでは、台湾人の幸福度は日本人よりも高いと言ってよさそうです。

日本を上回る台湾の経済成長

幸福度に続き、**経済自由度ランキングでも台湾は高い位置にいます。**

例えば、アメリカのシンクタンク・ヘリテージ財団が毎年発表している「世界の経済自由度指数」の２０２２年版では、**台湾は35位の日本を大きく突き放し、６位にランクインしている**ことがわかります。

この指数は、「法制度」「政府の規模」「管理監督の効率」「市場の開放」の４つの項目と、これらの項目に沿って設けられた12の指標を通して自由度を判定したものです。それら12の指標の中で、台湾は**「ビジネスの自由」「貿易の自由」「貨幣の自由」「財産権の保護」「政府の支出」**などの８つの点で高い評価を受けました。

この順位の高さは、外国からの投資条件の良さを評価されたことが大きく影響しているようです。事実、**台湾には外資を積極的に受け入れる環境が整えられている**のです。

その代表的な例として、科技部（＝日本の文部科学省に類似）が管轄する**サイエンスパーク（科学園区）**があります。

このパークには、グローバルに活躍する台湾企業が本社や研究施設、工場を構えるほか、世界各国の先進科学企業の工場や支社も数多く進出しています。しかもパーク全体が保税地域であり、輸入材料に関税がかからないなどの優遇措置が施されているのです。

現在、台湾では、1980年設立の新竹科学園区、1995年設立の南部科学園区、2003年設立の中部科学園区の3つのサイエンスパークが稼働しています。これらのサイエンスパークでの2020年の営業額は、合計で3兆2776億台湾元（約11・6兆円）に達しており、前年比15・03％の増加を見せました。輸出額は合計2兆4016億台湾元（約9・2兆円）に上り、前年比16・19％の増加を達成しています。また、雇用者数では前年比で3％増となる28万8237人を記録し、営業額、輸出額、雇用者数の3つの指標で過去最高を更新しました。

こうした状況を受け、政府は今後も3カ所の科学園区をうまく活用しながら、台湾企業のグローバル化や外国企業の積極的誘致を行う姿勢を鮮明に打ち出しています。

新竹科学園区にあるTSMC

台湾は、人口比におけるお金持ちの数でも日本に負けていません。

米経済誌「フォーブス」の2022年の発表によれば、**10億米ドル以上の保有者（ビリオネア）の数は、日本が40人、台湾が51人でした**。日本の人口は約1億2600万人、台湾の人口は約2340万人ですから、**人口比で考えるといかに多くのビリオネアが台湾で誕生しているかがわかります**。

台湾経済を支える別の要因としては、地理的な位置も無視できません。台湾を中心として半径2000キロメートルの円を描くと、日本、中国（北京、上海、香港など）、韓国、ベトナム、タイなどがすべて収まるのです。台湾から日本までは飛行機で約4時間、上海までは約2時間という距離であり、**アジアのど真ん中に位置するというアクセスの良さ**が台湾の経済発展に確実に有利に働いています。

　これらすべての条件が相互に影響し合いながら、台湾経済は押し上げられているのです。それを裏付けるかのように、世界銀行が発表した2020年版のビジネス環境ランキングでも台湾は15位に位置しています(日本は29位)。

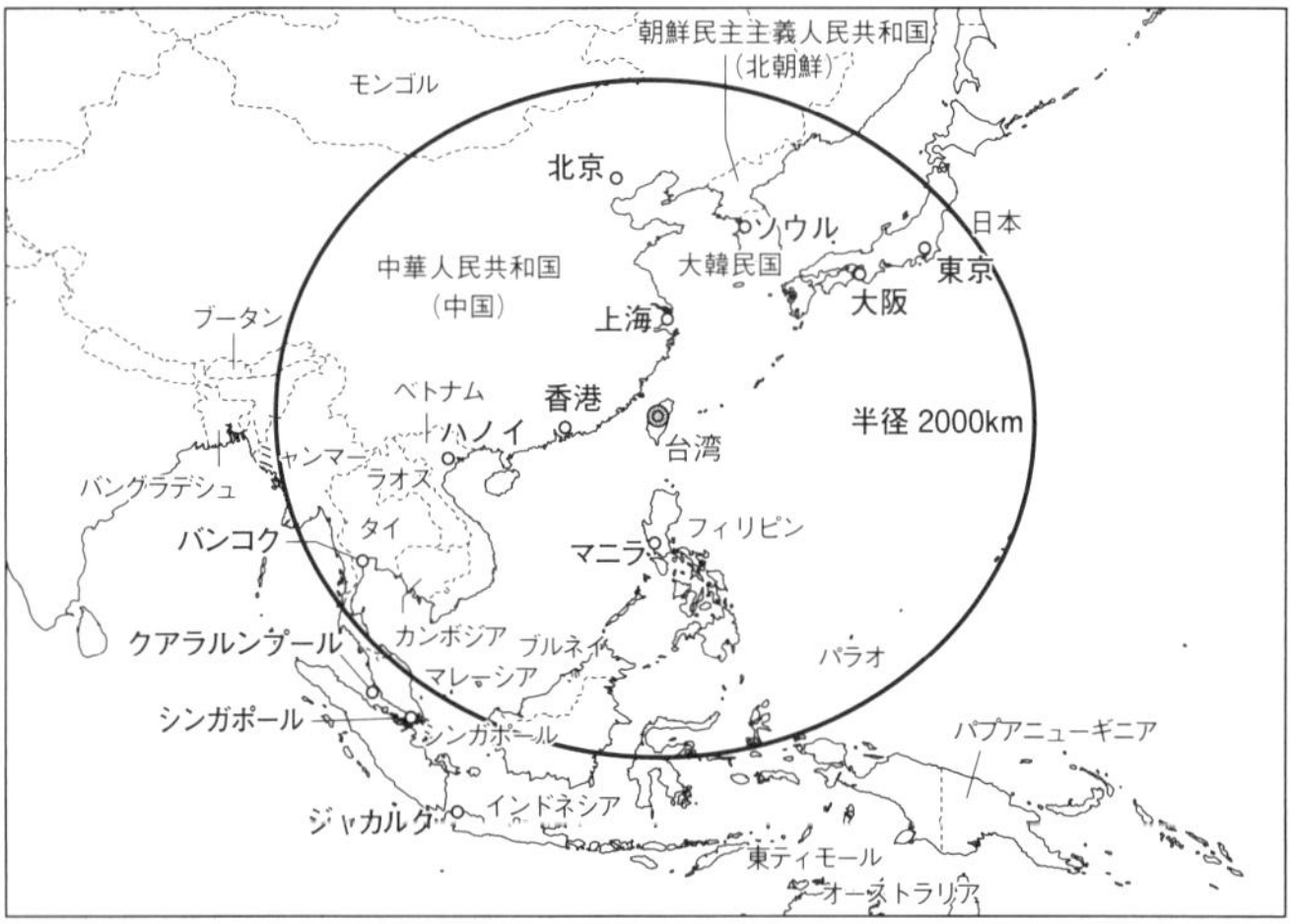

アジア太平洋地域の中心に位置する台湾

数値で見ると一目瞭然!
右肩上がりの経済発展

台湾の経済の堅調な成長ぶりは、GDP（国内総生産）の推移を見ても実感できます。

2010年、台湾の1人当たりの名目GDPは約1万9181米ドルでした。同時期、日本の数値は約4万5135米ドルに上り、2倍以上の開きがあったのです。

それから11年が経過した2021年、台湾の1人当たりの名目GDPは3万3143米ドルにまで上昇し、約1・7倍の成長を見せました。同年の日本の1人当たりGDPは3万9301米ドルに下がり、台湾は経済的に日本にかなり肉薄してきました。

一方、視点を変えて1人当たりの**購買力平価GDP**を見ると、台湾の成長ぶりがさらによくわかります。ちなみに購買力平価GDPとは、各国の物価水準の差を修正することで算出され、名目GDPよりも実質的な比較ができると言われる数値です。

2010年、台湾の1人当たりの購買力平価GDPは3万8404米ドルでした。同年の日本の数値は3万5535米ドルに留まり、この時点ですでに日本は台湾に追い抜かれていたのです。その後の2021年では、台湾が6万2696米ドル、日本が4万4671米ドルであり、**台湾の規模が1・6倍ほど大きくなっています**。

2016年、日本の大手電機メーカーであるシャープが台湾の大手電子機器メーカーの鴻海精密工業に買収され、子会社になったというニュースを耳にして驚いた日本人は多かったのではないでしょうか。

さらに2021年には、世界最大の半導体ファウンドリである**台湾積体電路製造（TSMC）**が、ソニーと合弁会社を設立した上で熊本に新工場を設立すると発表しました。TSMCは今後70億米ドルの設備投資を行い、2024年末までに生産を開始する予定です。これにより、1500人の雇用が生まれると予想されています。

このように実際の経済指標を見ると、台湾はすでに経済的に日本と肩を並べる存在

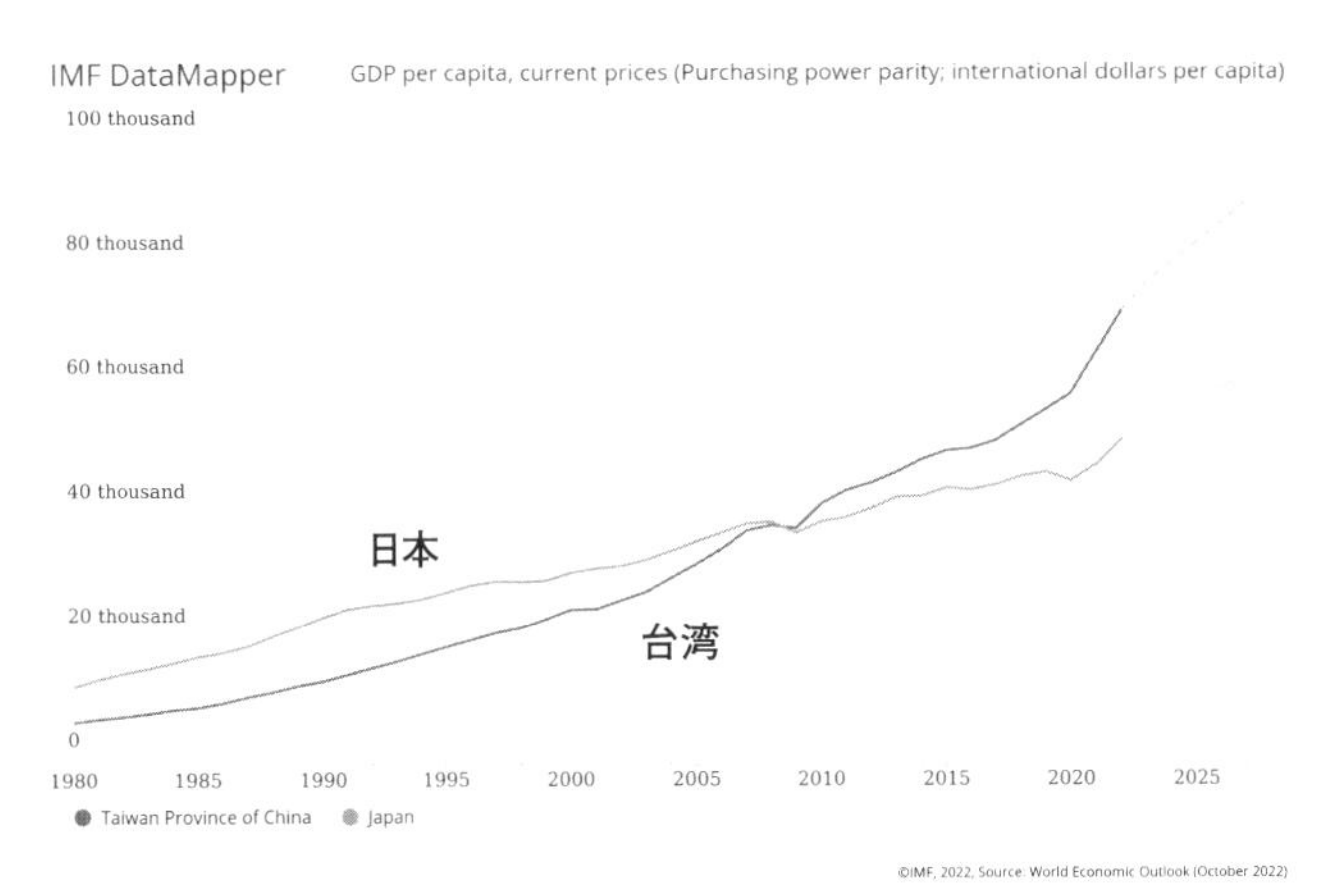

日台における購買力平価GDPの年代別比較　出所：国際通貨基金

に成長しており、**台湾企業が日本企業を買収しても何ら不思議ではない状況になっている**のです。こうした経済の成長ぶりも、多くの日本人がいまだ知らない台湾の素顔の1つかもしれません。

著しく発達した台湾のＩＴ社会

――老若男女の別にかかわらず、ＳＮＳを使いこなすＩＴリテラシー

台湾では、ＩＴが社会全般に広く、そして深く浸透しています。これも台湾の特徴の１つです。

まずはスマホを含む携帯電話に目を向けると、人口約２３６０万人に対し、加入者は約２９２９万人を数えます。普及率にするとおよそ１２４％に達しており、単純計算で**１人が１台以上の携帯電話を所有している状況**です。

２０２１年１月時点における16歳から64歳までの人たちを対象にした調査では、スマホの普及率は98・７％（日本は89・６％）に達しています。

さらに、同時期、同年齢層を対象とし、１日のうちにどれくらいの時間をインターネットに費やすかを聞いたところ、平均８時間８分（日本は４時間25分）という回答が得られました。

当然ながらＳＮＳの利用者も多く、同時期、同年齢層を対象にした調査では、利用の多い順からYouTube、Facebook、LINE、Instagram、Facebook Messengerという結果が出ています。一方、同じ調査における日本の結果は、YouTube、LINE、Twitter、Instagram、Facebookといった順番でした。

台湾を訪れるたびに私が強く感じるのは、台湾人にとってＳＮＳの存在が公私を分けずに必須のツールになっているということです。

台湾では、相手とのコミュニケーションには常にＳＮＳが利用され、仕事の連絡となるとLINEが大活躍します。また、プライベートで買い物をするための情報交換にもＳＮＳの存在が不可欠です。

こう話すと、日本でも状況はあまり変わらないと思うかもしれません。しかし、実際に台湾に行って数日過ごしてみると、台湾でのＳＮＳの利用頻度は日本の比ではないことを感じるはずです。事実、現地で働く日本人からは、**「日本の企業が台湾でのマーケティングやプロモーションを行う上ではＳＮＳの利用はマストだよ」**という言葉をよく聞きます。

ここで紹介した調査結果のデータは、16歳から64歳までの人たちを対象にした調査です。しかし実際には、70代、80代のお年寄りの方々がバスや電車の中でスマホを操作している姿をよく見かけるので、スマホは全世代にわたって愛用されていると言っていいでしょう。

スマホは情報収集のツールとしても盛んに使われているため、リサーチ力が高い人が多いことも台湾の特徴です。こうしたリサーチ力は、仕事のみならず、普段の生活のあらゆる場面で活かされます。

中国語で「**食好鬥相報**」という言葉があるように、「**美味しいもの**」や「**お得なこと**」「**面白いこと**」**に口を出さずにはいられないのが台湾人の気性**です。これに関しては、老若男女を問いません。これらの情報はすぐにSNSでシェアされ、瞬く間に拡散していきます。

台湾ではFacebookのアクセス可能ユーザーが1800万人に達しており、ネットユーザーの実に9割近くが利用しているほどです。この事実1つ見ても、情報のシェアが活発なことが窺えます。これらのネットユーザーは、個人アカウントだけでなく、様々な趣味趣向に沿った複数のコミュニティページに参加し、情報収集、情報拡散に励んでいるのです。

私自身も、8万人近くの台湾人が参加する**「日本行銷最前線（日本マーケティング最前線）」**というFacebookのコミュニティページのメンバーの1人です。ページには、毎日のように日本の面白いキャラクターや施設、商品などの情報が中国語で投稿され、しばしばバズっている状況を目にします。そのリサーチ力は相当高く、日本にいる私でさえも、「こんな面白いものが日本にあったんだ！」と驚き、台湾の人たちから日本の最新情報を仕入れることがあるくらいです。

値段の比較をするために、日本のECサイトを確認する人もたくさんいます。**台湾人は価格には常にシビアであり、得する買い物をするための情報収集にはかなりのこだわりを見せる**のです。

これらの手段を活用して情報を入手し、欲しいものは最安値で

日本の最新情報を取り上げるコミュニティページ

購入するのが台湾流なのです。

台湾のターニングポイント

別の角度から台湾を知るために、ここでガラリと話題を変えて過去三十数年間に台湾が歩んできた歴史についても簡単におさらいしておきましょう。

現在の台湾を語るとき、蒋経国の死後、その後継者として李登輝が代理総統に就任した1988年を起点とする捉え方があります。事実、この年を境にして、台湾は大きな変貌を遂げていくのです。

この〝現代台湾〟の起点から2年後の1990年、代理総統の任期切れに伴い、中華民国国民大会代表による間接選挙が行われました。李登輝はこの選挙に勝利すると、正式に中華民国（台湾）の総統に就任します。

ちょうどこの時期、台湾では民主化を求める声が日増しに大きくなりました。こうした市民感情の盛り上がりを敏感に受け止めて、李登輝は民主化に向けて憲政改革を推し進めます。

次の節目が訪れたのは、１９９６年でした。この年、台湾で初となる総統直接選挙が行われます。この選挙で李登輝が台湾の総統に選出されると、民主主義が花開いたことを内外にアピールしました。

その後、李登輝政権は２０００年まで続き、任期を終えた李は政界を引退しました。

ここで再び、台湾に世界から関心が集まります。その関心の矛先は、民主的な政権交代が成し遂げられるのかということでした。そうしたなか、次の総統に選ばれたのが、民主進歩党（民進党）の陳水扁です。

懸念されていた国民党からの政権交代ですが、何事もなくスムーズに行われていきます。これにより、民主主義が根付いたことを世界に証明するのです。

安定した政治は、台湾に経済の発展をもたらしました。ITバブルの崩壊とアメリカでの同時多発テロが起きた２００１年、リーマン・ショックが発生した２００８年を除き、**台湾は４％から６％後半の経済成長率を達成していく**のです。

２００８年に行われた選挙では、国民党の馬英九が総統に選ばれました。すると台中の関係改善が一気に進んでいきます。その成果としてよく知られるのが「三通」です。

三通とは、中国との「通商」「通航」「通郵」を認めるという政策で、実際に導入されると台中間の緊張関係は大きく緩和されていきました。これがのちに、**台湾企業による中国での大規模工場建設や両者による投資に門戸を開く**のです。

２００８年以降の中国の急激な経済発展に伴い、台湾経済の中国依存度はかなり高まり、経済面において台湾は中国とは切っても切れない関係になっていきます。

こうした行き過ぎた台中関係にブレーキをかけたのが、２０１６年に総統に選ばれた民進党の蔡英文でした。

総統に就任して以降、彼女は一貫して「２つの中国」の立場を取り、「台湾はすでに独立国家であり、もはや独立宣言をする必要はない」という「天然独」の考え方を掲げ続けるのです。

台湾の新しい顔を象徴するオードリー・タン
――社会問題を解決しようとする一般市民たち

台湾初の女性総統となった蔡英文と同等、もしくはそれ以上に大きな存在感を世界に放っているのが、**オードリー・タン（唐鳳）**ではないでしょうか。

タンは２０１６年に35歳という若さで蔡英文政権のデジタル担当大臣に任命されて以降、台湾の新しい顔として注目を集め続けています。

トランスジェンダーを自ら公表しているタンの登場は、台湾社会が多様性を受け入れ、それをバネにしてさらなる発展を遂げるための象徴的な現象だったのかもしれません。

タンの存在に脚光が当たるようになったのは、２０１２年に立ち上げられた**シビックハッカー・コミュニティ「g0v（零時政府）」**での活動がきっかけでした。

シビックハッカーとは、インターネットなどに公開されたデータを活用し、市民が利用しやすいアプリやサービスを開発することで社会問題を解決しようと試みるエンジニアを指します。

「g0v」の設立は、台湾史上最悪と言われた政府広告の発表がきっかけでした。

2012年2月、台湾政府は「経済力推進プラン」を策定し、このプランに関する動画広告を公表します。その内容は、「政府はこれから様々な内容のプロジェクトを始めます。ただし、どれも複雑なもので簡単には説明できません。確かなのは『たくさんのことが今、加速進行中』ということ。これを実行すれば、間違いはありません」というものでした。

この動画を見た市民は「何のことを言っているのかさっぱりわからない」という感想を抱き、自分たちにしっかりと説明できないプランに対して批判的な態度を示したのです。

このときに動いたのが、4人のシビルハッカーたちでした。彼らは、政府の予算データをオープンデータ化し、〝複雑〟とされた政府プランの透明化を図ったのです。

その活動は多くの人に評価され、社会問題を解決へと導くプラットフォームの1つとして、２０１２年末に「g0v」が正式に発足します。

誕生したばかりのシビルハッカー集団「g0v」に興味を持ったタンは、時を置かずに参加を決めるのです。

「g0v」がこれまで果たしてきた社会貢献

社会問題の解決のために「g0v」が実際に行った活動に、スマホ対応の辞書アプリ**「萌典（マァンディエン）」**の開発があります。

この辞書は、台湾の公用語である繁体字の中国語のほかに、客家語、原住民の言語、さらに台湾独特の言葉を加えたものがベースになっており、各言語間、さらには英語、フランス語、ドイツ語の対語が付いたものです。

例えば、「你好」（こんにちは）という言葉を入力すると、各言語での対語が表示されます。漢字については、デモ画面で書き方（書き順）を見せてくれる機能が加わりました。

原住民の言葉も幅広く網羅しており、アミ族が使用するアミ語の言葉に関していうと、８万語以上が登録されています。言語を残すことは自らのルーツの継承にも繋がるため、原住民にとって「萌典」の開発は歓迎すべきものとなりました。

「萌典」の開発のきっかけになったのは、「g0v」が２カ月に一度開くハッカソンでした。ハッカソンとは、ハックとマラソンを組み合わせた造語で、プログラマーや設計者などのソフトウェアエンジニアが短期間で開発作業を行うイベントのことです。「g0v」のハッカソンでは、参加者から挙げられた社会問題について政府の関係者や専門家らと共に討論し、その解決のために何ができるかを考えていきます。

そんななか、２０１３年１月に開かれたハッカソンで討論されたのが、**台湾で話されている言葉**についてでした。

先ほど記したように、台湾では中国語、客家語、原住民の言語、台湾独特の言葉を中心に複数の言語が使われています。しかし、それらすべてを扱う便利な辞書がなかったのです。

g0v が開発した萌典

実際のところ、台湾の教育部（日本の文部科学省に相当）が開発したオンライン辞書はすでに存在していました。ところが、スマホでの検索ができない、IDがないと使えないという、とにかく使い勝手の悪い辞書でした。そこで、この辞書を改良しようという結論に至り、「g0v」のメンバーであるオードリー・タンが中心となって、誰もが自由にアクセスでき、さらには台湾で使われている複数の言語と外国語、およびそれらの言語間の対語がわかる辞書の開発がスタートしたのです。

若い優秀な才能を積極的に採用する台湾の先進性
――学歴や経歴に関係なく、行政機関に取り込む

いざ開発が始まると、タンを含む30人が**夜通し作業をし、翌日には完成させるというスピード力が発揮されます**。内容も素晴らしく、教育部もその質の高さを認めるほどでした。こうして「萌典」は完成します。

それにしても、なぜ「萌典」なのでしょうか。日本の「萌え」に通じる部分があり、日本人としては興味が湧くところです。

これは、教育部の英語名称である「Ministry of Education」の略称が「MoE」であることに由来します。この「MoE」と、台湾でもよく知られている日本語の「萌え」がたまたま同じ発音だったので「萌典」と命名したそうです。

その後、市民エンジニアの手で開発された「萌典」は、教育部から公式辞書として認定を受けました。開発から約9年が経った今、10万人以上の人たちによってダウンロードされ、月間で数百万回の閲覧数を誇る人気アプリに成長しています。

タンをさらに有名にしたのは、**「v台湾」**というオンライン政治討論プラットフォームとの関わりでした。

2014年、台中間の市場開放を目指す「サービス貿易協定」の可決に反対する学生たちが2週間にわたり立法院を占拠するという事態が発生しました。**「ひまわり学生運動」**と呼ばれるこのデモの発生を深刻に受け止めた馬英九総統（当時）は、運動を主導した学生組織のリーダーと面会し、若者たちと政府の対話を可能にするプラットフォームの構築を提案します。

するると、ひまわり学生運動の際に学生側について重要な役割を果たした「g0v」の市民エンジニアたちが迅速に対応し、誰もが議論に参加できる政治討論プラットフォーム「v台湾」を立ち上げていったのです。

「萌典」に続き、ここでも優れた手腕を発揮したのがタンでした。各方面から高い評価を受けた彼女は、蔡英文政権の誕生から約5カ月後の2016年10月、デジタル担当大臣に任命されるのです。

その後、コロナ禍では、タンの所属していた「g0v」は独自の社会貢献活動に乗り出します。

コロナ禍が社会不安を引き起こし、様々な情報が飛び交うようになったことを受け、「g0v」は**「Cofacts 真的假的」**を開発するのです。その内容は、「Cofacts 真的假的」のウェブサイトまたは公式LINE（LINE ID：cofacts）に真偽を確認したい情報をコピー&ペーストすると、それが本当かフェイクかを判別してくれるというものでした。

これにより、「ネットで見かけた情報」「知り合いから送られてきた情報」をSNS上に投稿する前にチェックできるようになるのです。「Cofacts 真的假的」は民間によるフェイクニュース対策として高く評価され、今も20万人以上が利用しています。

２０１６年からデジタル担当大臣を務めてきたタンは、２０２２年８月、台湾政府がデジタル分野に関する政策を担当する新たな行政機関「デジタル発展部」（デジタル発展省、略称「moda」）を発足させると、この機関の初代部長に任命されました。

modaは、「民主の模範とスマート国家」を核心ビジョンに据え、「全民デジタルレジリエンス」を加速させることを目標にしています。これを達成するために、「電信」「データ」「データセキュリティ」「インターネット」「コミュニケーション」の５大領域に跨がる業務を遂行していくようです。

発足にあたり、modaでは、６００人の職員のうち、学歴と経歴を問わずに外部から３００人を新たに採用すると発表しました。

オードリー・タンのような若い優秀な才能を初代部長に任命し、さらなる活躍の場

多くの人に受け入れられた「Cofacts 真的假的」

を与える台湾政府の姿勢には、**合理性を重視する台湾社会の特徴が実に色濃く表れています。**

台湾で大きく進む「脱プラスチック化」
——政府民間が一体となり社会課題に立ち向かう

本章の最後に台湾における環境問題についても触れておきましょう。

台湾では、脱レジ袋化、脱プラスチック化の動きがかなり進んでいます。起点は、２００２年に導入されたプラ容器の段階的な規制でした。この年、第一段階として、百貨店と小売店などでの薄さ０・０６ミリ以下のレジ袋と、プラ食器の使用が禁じられます。これによって、マイ箸とマイボトルを使う人が増えたのです。

しかし、２００６年には一部の規制が修正されます。修正の理由は、レジ袋を厚くすることで複数回使用を促す当初の目論見が大きく外れ、かえって廃棄されるレジ袋の量が増えてしまったからでした。さらに、飲食店でのプラ食器の使用規制が緩和されたため、この時点では脱プラスチック化は失敗したかに見えました。

次に動きがあったのは、２０１３年でした。台北市は、専用ゴミ袋とレジ袋の兼用ができる袋の販売を始めたのです。これにより、廃棄されるビニール袋の量が徐々に減少していきます。

さらに２０１７年、大手外資スーパーのカルフールがデポジット式のエコバッグを導入しました。デポジットを払えばレジでエコバッグを借りられ、30日以内に返却すればデポジットを返金してもらえるという仕組みを取り入れたのです。このシステムはとてもわかりやすく、多くの人が利用し始めました。

翌２０１８年には、８万店の小売店でレジ袋の有料化がスタートします。これにより、マイバッグを持ち歩く人が急激に増え、大きなクレームの声もないままレジ袋削減の動きが進んでいったのです。

ただし統計を見ると、プラスチック製品の製造量は台湾全体として減っていません。これは、経済状況によって工業用プラスチック製品や生活用プラスチック製品の製造量が増えたり、製品の包装にビニール素材のものが使われていたりする背景があるた

顧客がパッケージを持参して買う店（UNPACKAGE）

めです。

とはいえ、脱プラスチック化の動きは今も着実に進められ、テイクアウト容器を紙製にしたり、台湾名産のサトウキビの廃材を使ったストローを開発したりという試みが繰り広げられています。ちなみに、サトウキビのストローは日本に輸出されるようになりました。

台湾の一般社会を見回しても、脱プラスチック化の波を感じます。例えば、台湾ではオフィスビルや学校、ショッピングモールなどの至るところに常温水とお湯が出るサーバーがあるのですが、備え付けの使い捨て容器は姿を消し、マイボトルを持参して利用するのが当たり前になりました。

マラソンなどの野外イベントでも脱プラスチック化が始まっています。飲料用のコップやボトルのレンタル産業が発達し、利用→回収→洗浄→再利用というサイクルでサービスを提供する業者が増えているのです。

様々な形で脱プラスチック化を進めている台湾は、2030年までにプラスチック容器の全面禁止を目指しています。こうした動きから日本が学べる部分も多々あるのではないでしょうか。

第2章

日本人がまだまだ知らない台湾人の考え方

Taiwan's growth strategy is the best model.

似ているようで似ていない日本と台湾
――台湾人は金銭にまつわる話題に開放的

以前、隣同士である日本と韓国、台湾の子育てについて書かれている記事を新聞で読んだことがありました。それによると、日本の子どもは親から「他人に迷惑をかけないように」と言われながら育つと言います。一方、韓国では「人に負けるな」と言われるそうです。さらに中国では「他人に騙されるな」と諭されるとのことでした。

この記事の内容に興味をもった私は、台湾のケースを知りたくなり、さっそく複数の台湾人に聞いてみました。すると、彼らから返ってきたのは**「損しないように」「後(おく)れないように先(さき)んじて」**という答えだったのです。

それを聞いてすぐに思い出したのは、就学期の子どもを持つ台湾の親たちが、小学校で後れをとらないように先んじて子どもたちを塾や習い事に積極的に通わせている日常の光景でした。

それぞれがお隣同士の国とはいえ、親の教えがこれほどまでにも異なるのですから、わかり合うのが難しいのも納得がいきます。

台湾は日本から距離的にとても近いですし、人々の外見も日本人によく似ているため、ついつい考え方も日本人に近いのではないか？と早とちりしがちなので注意しなくてはなりません。

実際に台湾の人たちと付き合ってみると、日本人とは異なる考え方に触れる機会も多く、「似ている」との思い込みが強ければ強いほど、違いを実感したときの驚き具合は大きなものになります。

では、何がそんなに異なるのでしょうか？

まず初めに日本人が驚くのは、**台湾の人たちの多くが自分たちのプライバシーに関してオープンである**という点です。例えばお金についていうと、日本では自分の給料の額や商売での利益、家の値段などはあまり人に話しません。

ところが台湾では事情が違います。**給料のこと、商売のこと、家の価格のことなどをざっくばらんに話すだけでなく、相手にも堂々と聞いてくる**のです。

聞き手に回るだけなら、ひとまずどうにかなるかもしれません。しかし、答えを求められる側になると、多くの日本人が戸惑います。

事実、駐在で台湾にやって来た日本人がとても驚くのが、給料の額を聞かれることのようです。駐在員の給料は現地採用の社員よりも高い場合が多く、うっかり正直に答えてしまうと、現地の人たちに不公平感を植え付けてしまう恐れがあります。これを避けるために、本社からは「給料の話はしないように」との通達が届くケースがあるくらいです。

私自身もお金のことを話すのは得意ではなく、相手から聞かれるとついつい言い淀んでしまいます。

台湾人がお金についてオープンなのは、「損をしない」ための防衛策なのかもしれません。損をしないためには、どうしても情報を得る必要があります。その情報を基に他人と自分を比較して、自分が損をしていないかを確認するのです。そうした考えが根底にあるため、「給料はいくらもらっている」「これだけ儲かった」という会話に抵抗がないのかもしれません。

会社とプライベートの間の壁が低いアットホームな台湾企業
――社内イベントを通じて距離を縮める

日本の企業文化では、たとえ創業者であっても、自社がある程度の規模の企業に成長すると、「親族だから」という理由だけで身内を雇い入れることを避けようとするものです。

ところが、私が知る複数の台湾企業の場合、**創業者の兄弟やいとこはもちろんのこと、それ以外の親戚でも積極的に雇用し、さらには社長の妻が副社長に就任している企業も見かけます**。

こうした慣習を支えてきたのは、**「家族血脈の繫がりが何よりも信頼できる」**という非常に強い意識です。私が知っているケースでは、自分の姪を日本支社の支社長に任命した社長もいます。このように同族同士の結束が強いのが台湾の特徴であり、日本とは大きく異なる点です。

台湾のオーナー社長の多くは、子どもがまだ幼いころから後継者になるための教育を授けようとします。その際に**親たちがこぞって重要視するのは、子どもたちに国際性を身につけさせることです**。例えば、子どもが2人いたら、1人はイギリスに留学させ、もう1人は日本に留学させるというバランスを取りながら、一族のなかに幅広い国際性を取り込もうとします。また、台湾で企業規模を大きくするには外国企業との取引がマストのため、親は早いうちから子どもに外国語を学ばせます。

このように子どもたちを外国に留学させたり、幼少期から外国語を習得させたりするのは、**将来的に自分の会社に入社させ、外国でのビジネス展開を考えているからです**。直接の会社経営とは別に、有事に備えて日本をはじめとした海外に拠点を確保し、不動産などの資産を分散させてリスクヘッジをする狙いもあります。

家族や親族の関係を会社に持ち込むのは、社長だけではありません。家族ぐるみで会社との関係を築いている一般の社員もたくさんいます。

それをよく表すかのように、台湾企業の職場では家族が同じ部署で働いていたりすることも珍しくありません。

例えば社内恋愛で結婚した場合、日本では周りが気を遣うからという理由で、夫婦のうちどちらかが別部署に異動になるパターンが一般的です。ところが台湾では、そうした異動は行われず、夫婦は同じ部署で働き続けます。それを気にする同僚たちもいません。仕事さえしっかりとやっていれば特に問題はなく、むしろ**同じ部署で働いていたほうがお互いの仕事を理解できるため、合理的だと考えます**。家族の誰かが会社を見学しに来たり、挨拶にふらっと立ち寄ったりすることもあり、それを煙たがる風潮はほとんどありません。

幼いころ、母親が台湾の大手保険会社・新光人壽で働いていたという私の友人は、学校が終わると会社に行き、母親の隣のデスクを借りて宿題をやっていたと言います。郵便局に勤めていた父のところにも、手紙の仕分けの手伝いに行ったことがあるそうです。

台湾では、大企業、中小企業にかかわらず、社員旅行に自分の家族を連れて来ることもよくあります。**既婚者は配偶者や子どもを参加させ、独身者の場合は恋人や友人を同行させることが許される**のです。また、社員旅行には社長の家族も参加します。

台湾の企業のなかには「社内運動会」があるところも多いです。社長はもちろんのこと、企業幹部や社員、さらにはその家族も参加するエンターテインメントイベントになっています。かつては日本でも「社内運動会」が行われていましたが、すでにそうしたイベントを見ることはなくなりました。

台湾を代表する大企業の**台湾プラスチックグループ**の運動会では「5キロ走」が名物種目で、創業者の王永慶（2008年死去。現在は実弟の長男の王文淵氏がグループ総帥を務める）は83歳になるまで数百人の幹部と共にこの種目に参加していました。毎年のようにこの運動会に招かれた元総統の馬英九は、5キロ走に数十回にわたって参加しています。

社員旅行や社内運動会などのイベント開催の背景には、社員同士の親睦のためでなく、家族も共に参加してもらうことで社内での交友関係を知ってもらうと同時に、**社員たちに社長や幹部の子どもに接してもらい、将来の後継者に親しみを感じてもらう意図があるのかもしれません。**

そもそも台湾の多くの人たちは「社長の会社を子どもたちが継ぐのは当然」と考え

ています。そのため、社長の子どもが重要なポストに就くことに抵抗を感じません。

マメで親しみやすい台湾企業のトップたち

――年齢や性別、地位を超えた気軽なSNSでのコミュニケーション

企業の社長というと、日本では何となく近づきにくいイメージがあるかもしれません。しかし、台湾では異なります。台湾企業のトップの人たちは、**相手との距離の縮め方が上手なのです**。

仕事柄、私はクライアントである台湾企業のトップと面会する機会がよくあります。その際、「ちょっとLINEを交換しておこうか」と気軽に言われたりするのです。もしくは、面会や打ち合わせのあとに、Facebookで友達申請する社長も多くいます。こうした対応に触れるたびに、SNSを積極的に使いこなしている様子が直に伝わってきます。

台湾では地位や年齢に関係なくSNSを活用したコミュニケーションが盛んなので、

相手が目上の人でもSNSを通じて意思疎通をすることが普通なのです。

日本でもクライアントの企業のトップと知り合う機会はよくあります。しかし、私が経験してきた限り、友達申請までする人はほとんどいません。

企業トップとのLINEの交換やFacebookでの友達申請が、単なる〝儀式〟で終わらないところも台湾らしいと言っていいでしょう。

例えば、こちらがSNS上で「こういうことがしたいんですけど……」と軽くつぶやいたりすると、**「それをしたいなら、こんな知り合いがいるよ」**と反応してくれるケースも多く、すぐに相手に繋げてくれるのです。

さらに、Facebookで「近々台湾に行きます」と投稿すると、「〇日なら空いているから、ご飯をご馳走するよ」というメッセージを送ってくれる人もいます。

相手がよくしてくれれば、当然、こちらもお返しをしなければなりません。相手が日本に来るとなれば、今度はこちらがご馳走します。このように、持ちつ持たれつのやり取りを重ねながら、信頼と人脈を築いていくのが台湾式なのです。

新年やクリスマスなどの季節になると、メッセージや絵文字を気軽に送ってくれる社長もたくさんいます。特に年配の社長や理事長は、自然の景色や仏の背景写真に、人生の教訓や含蓄のある四文字熟語を添えた**「長輩圖（ジャンベイツ）」**（グリーティングカード）を送ってくれます。あまりにもありがたい言葉が並ぶため、返信や反応に困ってしまうこともあります。「長輩圖」を作るための素材サイトが多数あり、ここで作成したり、他者から送られてきたりしたものを転送しながら次々と拡散が行われていくようです。

すでに何年にもわたって付き合いのある相手なら、マメにメッセージを送ってくれるのも納得がいきます。ところが、ついこの前会ったばかりなのに、親しみのこもった接し方をするのが台湾の社長です。この種のやり取りに触れたときは、日本との大きな違いを実感します。

ちなみに相手から「長輩圖」が頻繁に送られてくるからといって、こちらに対する好意や下心があるわけではありません。そもそも一斉送信していることも多く、実際には既読スルーでも失礼にはならないようです。

日々の教訓などが書かれている「長輩圖」

身近な存在の台湾企業の社長

――意見が言いやすい環境、働きやすい環境を生むカジュアルな雰囲気

台湾企業のトップたちの気さくさは、オフィスでの様子からも窺えます。

例えば、社長室です。大企業ともなると、日本と同様に社長は社長室にこもって仕事をするケースもありますが、私の知っている台湾の中小企業では、仮に社長室があったとしても社長は一般社員と同じフロアで仕事をしています。そもそも社長室の用途は、来客時の「接待室」であることが多いようです。

日本企業の社長は、一般社員からするとどこか遠い存在のような印象があります。しかし、台湾企業の社長はより身近な存在です。事実、社員が社長に気軽に話しかけている場面をよく見かけます。

これにはもしかしたら言葉が関係しているのかもしれません。**中国語の会話には、日本語のように厳格な敬語を使った話し言葉が存在しないので、立場が異なっていても仰々しくならずに会話ができるのです。**

気軽に話せる雰囲気が醸成されているのは、社内での服装の影響もあるような気がします。日本のビジネスマンの場合、スーツ姿で出社する人がまだ多いですが、高温多湿で雨がよく降る台湾ではスーツを着て出社する人はほとんどいません。**バイク通勤をする人も多く、そうなるとスーツ姿は実用的ではない**のです。こうした理由もあって、社長を筆頭に誰もがカジュアルなスタイルで会社にやって来ます。その結果、堅苦しさは自然と軽減されていくようです。

男性の場合、シャツにスーツズボンスタイルといったオーソドックスなスタイルや、Tシャツにチノパン、スニーカースタイルの人をよく見かけます。女性の場合は、ワ

カジュアルな雰囲気のミーティング

ンピースにジャケット姿のようなビジネスカジュアルの人がいる一方で、Tシャツにジーパン、サンダルといった格好の人もいます。カジュアルな姿の若い人が街を歩いていると、彼らが学生なのか社会人なのかなかなか判別がつかないくらい服装に関する職場での自由度が高いのです。こうした台湾のオフィス環境を羨ましく思う日本人は多いのではないでしょうか。

上司を評価する「EQ」とは?

社内の雰囲気という点では、日本と台湾の企業の間には服装以外にも決定的な違いがあります。代表的なのは、**部下を人前で叱らないこと**です。日本の会社では、上司のデスクに呼び出された部下がペコペコと頭を下げて「すみません」と謝っている姿をよく見かけます。日本人上司による人前での叱責は、台湾の日系企業で働く台湾人従業員の辞職理由として常に上位にランクしています。日本人上司としては、叱責ではなく、あくまでも指導をしている感覚なのでしょうが、台湾の人はそう受け取ってくれません。

休みの前に〝指導〟をしたら、週明けから会社に来なくなってしまったという話はあちこちで耳にします。

台湾人にとって人前で叱責されることは恥であり、許容できるものではありません。したがって、それをする相手を台湾人はひどく嫌います。これを理解できない日本人の上司は、台湾でとても苦労するはずです。

人の能力について、台湾では**「ＥＱ（emotional Intelligent Quotient）」**がしばしば取り上げられます。１９９０年ごろから台湾で注目されているＥＱは、「心の知能指数」として広く知られている概念です。ＥＱを向上させるには、自身の心理的状態を的確に捉えたり、感情をコントロールしたりする能力が求められます。台湾では今、上に立つ者の不可欠な条件としてＥＱの高さが重要視されているのです。

「どんな人が上司になってほしいですか？」

こんな質問を台湾人にすると、**「ＥＱが高い人」**という答えが返ってくるほど、ＥＱという言葉は人々の間に浸透しています。

仮に人前で部下を怒鳴り散らすようなら、「ＥＱが低い」という烙印をすぐに押されてしまうでしょう。

とはいえ、仕事を円滑に進めるには、ミスを正さなくてはならないときもあります。その際には、人前で行うのではなく、1on1の環境で直接語りかけることが必須でしょう。

EQのような概念は、部下が上司を評価する際の指標として日本にも徐々に浸透していくと思われます。

生まれたときから国際化
――いざという時に役立つ知識や語学を早期に身につけさせる

日本では、子どもに英語を学ばせる親が年々増えています。台湾でも、以前から英語教育は盛んです。もちろん家庭によって温度差はありますが、台湾の親たちは、子どもの誕生と同時に海外でも通用するスキルを身につけさせようとします。その熱心さは日本よりはるかに上回ると言っていいでしょう。

事実、多くの親が子どもたちの外国留学を早い段階から想定し、そのときに備えて幼少期の教育に力を入れます。これももしかしたら、「損をしないように」という台湾独特の親から子へのしつけの1つなのかもしれません。

台湾の幼稚園は、英語教育や日本語教育に力を入れているところが多いのが特徴的です。子どもに外国語を学ばせたいという熱意の高さは、やはり日本の比ではありません。なかには、子どもが幼いうちに英語を身につけさせるため、わざわざアメリカに引っ越して現地の学校に通わせる親もいます。

幼少期にアメリカで教育を受け、帰国後に台湾で活躍する人物として有名なのが、**黄立成（Jeff）**です。1972年に台湾で生まれた黄は、2歳のときに家族でアメリカへ渡り、高校生のときに台湾に帰ってきました。

帰国後、L.A.BOYZというヒップホップグループを結成した黄は、台湾にヒップホップを持ち込んだ先駆者として知られています。

２０１５年には、17LIVE（台湾発のライブストリーミングサービス）を設立したことでも話題になりました。

その後、17LIVEを日本企業に売却すると、黄はＦＩＲＥ（Financial Independence, Retire Early の単語の頭文字を取った言葉。「経済的自立と早期リタイア」という意味）生活に入っています。


話を元に戻しましょう。

台湾の幼稚園では、しっかりとした時間割があり、語学をはじめとした様々な知育教育プログラムが提供されています。

小学校に入学すると、台湾の子どもたちの多くは「補習班」に入ります。補習班は日本の塾に相当するものです。ただし、日本の塾とは大きく異なり、補習班は子どもたちの預かり施設の役割も果たしています。

台湾でも、夫婦の多くが共働きです。そうした環境に合わせて、補習班が子どもたちを夕方の時間帯まで預かってくれるのです。預かりのサービスは幼稚園でも行われています。

幼いころから子どもたちに外国語を学ばせ、将来的に留学をさせようとする背景にあるのは、リスクヘッジです。**台湾は九州ほどの大きさで、内需のみでの市場規模には限界があるため、どうしても外に目を向けざるを得ません。**さらには中国との緊張関係も相まって、リスクヘッジする意識が強いのです。

このような事情もあり、台湾の親たちは子どもが小さなころから国際感覚を身につけさせることに力を入れます。

また、そもそも言語習得のモチベーションについても日本と台湾とで違いがあります。台湾人の中国語の先生の友人から「日本人が中国語を学ぶ理由」を聞いたところ「台湾旅行に行ったときに買い物で値切れるようになりたい」「レストランで注文できるようになりたい」など、初歩的な会話を身につけたいという理由で中国語学習を始める学生がほとんどだそうです。

一方、台湾で日本語を学ぶ学生に聞いてみたところ、「好きな日本人アーティストの曲を歌えるようになりたい」「漫画を日本語で読めるようになりたい」「日系企業に就職したい」「仕事で活かしたい」など、**より実用的で具体的な理由に根差している**ことが窺えました。

台湾では日本のカタカナやローマ字のような役目を果たす文字がないため、台湾のカラオケに行っても、歌詞は日本語しか表示されません。そのため、歌詞を見て日本の曲を歌えるようになるには、**日本語で使われている漢字やひらがなの習得がどうしても必要です。**それも日本語を習得するためのモチベーションになっているのかもしれません。こうした事情があるため、台湾では日本に留学したことがないのに、独学で日本語がペラペラになったという人があちらこちらにいます。

ホスピタリティは台湾から学べ
――組織のトップ自らがもてなす

日本のクライアントの方を台湾に案内すると、まず初めに驚くのが台湾の人たちによる歓待です。

台湾側による空港でのお出迎え

その歓待ぶりは、空港に到着したときから始まります。

税関を済ませ、到着ロビーに出た瞬間、名前入りの大きな垂れ幕や豪華な看板を用意して迎えてくれるのです。

サプライズは、その後もまだ続きます。

宿泊先のホテルに着くと、「台湾へようこそ！」というメッセージカードと共に、フルーツの盛り合わせが届くこともあります。さらに打ち合わせのために先方のオフィスに向かうと、わざわざ玄関で出迎えてくれるのです。

大企業や市政府などを訪問すると、会社案内やその地域を紹介したプロモーションビデオを見ることがあります。**そのビデオには、日本語字幕や日本語吹き替えがしっかりと挿入されており、こちら側への気遣いを感じさせてくれます**。日本語だけでなく、来客者の母語に対応できるように多言語での字幕や吹き替えがあるようです。

会議室に入ると、会社名や肩書が印字された会議用席札や、日本と台湾の旗がクロスした置物を机の上に用意してくれたりもします。

プロジェクターのスクリーンに「○○社ご一行様ようこそ弊社へ」という文字が映し出されたりすると、ついつい驚いてしまいます。事前にこちら側にコンタクトを取り、失礼がないように座る位置について相談してくれたりもするのです。こうした細やかな気遣いは、日本人の感覚に近いと言っていいでしょう。

帰国する際も、訪台メンバーの1人ひとりに豪華なおみやげを用意してくれるので、いつも頭が下がります。こうした気遣いは、企業に限ったことではなく、市政府などの政府機関、協会や団体などでも共通して見られます。

台湾では、組織のトップが率先しておもてなしをしてくれるため、何かと恐縮するばかりです。会社の応接室や社長室に招き入れられると、そこにはたいてい立派な茶器が用意されており、これを使って社長が直々にお茶を淹れてくれます。

社長が率先して行動するのは、来客時だけに限ったことではありません。例えば、会社で**忘年会**（**尾牙**（ウェイヤー））を行う際は、社長自らが忘年会会場を選び、社員たちを慰労するためのホスト役に徹します。その姿を初めて目にしたとき、あまりにも日本の状況と異なるので、非常にびっくりしました。

台湾で行われる会社の忘年会は、日本で行われる忘年会よりはるかにゴージャスです。**余興として、自社株や海外旅行、ボーナス、車などが当たる抽選会も行われ、そのときは特に大きな盛り上がりを見せます**。

忘年会の豪華さによって、その会社の景況感が如実にわかるので、内容が豪華であればあるほど社員には肌感覚として業績の良さが伝わるのと同時に、豪華な忘年会を取り仕切る社長に対する評価にもつながっていくようです。

また、尾牙では社員の催し物タイムがあり、社員数が多い大企業では、自分の顔と名前を売り込むことができる絶好のチャンスでもあります。

日本人を圧倒する台湾のおみやげ文化

——自社のノベルティを使ってファン作り

台湾を訪れるたびに、私はいつも現地の人たちのおもてなしに感銘を受けます。なかでも世界的な自転車メーカーとして知られるジャイアント（GIANT）を訪れたときのことは忘れられません。ジャイアントは世界ナンバーワンの年間650万台のロードバイク生産台数を誇る企業です。

ジャイアントは、2011年の東日本大震災発生直後、復興のために1300台もの自社製自転車を岩手県に寄付しています。それらの自転車は、「瓦礫でふさがれて車が通れない道での物資配送や、家族や知人の安否を確認する人たちの足として本当に役立った」と陸前高田で被災した友人から聞きました。

それから2年が経過した２０１３年、東北の企業を中心に全国20社ほどが集まり、台湾にお礼をするためのツアーを企画しました。このとき私は訪問先のアレンジと案内役を担当しました。

日本の訪問団を連れて最初に足を運んだのは、ジャイアントでした。

日本側は震災時の支援に対するお礼をするために訪れたのにもかかわらず、ジャイアントでは社長が自ら出迎えてくれたうえに、**立派な台湾のお菓子と自社のロゴマークが入ったマグカップを23人の訪問メンバー全員にプレゼントしてくれました。**

このときのツアーでは、ジャイアントのほかに、高雄市政府やパソコンメーカーのエイサー（Acer）などにも表敬訪問し、お礼の気持ちを伝えています。

元々はこちらがお礼をする立場だったのに、**ど**

自らもてなしてくれる大手自転車メーカージャイアントの劉金標会長とブランド戦略コンサルタントの村尾隆介さん

こに行ってもロゴ入りのマグカップやタンブラー、パソコンのマウスやボールペンなどをプレゼントしてもらいました。

こうした状況なので、台湾を訪れると、帰国時にはいただいたおみやげでスーツケースがいっぱいになります。帰国後はそれらをオフィスで使っていますが、おかげで身の回りのものは一気に台湾企業品に変わりました。

おみやげに限らず、ジャイアントやエイサーなど大手メーカー企業になると、本社の入り口にアンテナショップを構え、自社商品はもちろんのこと、関連グッズやノベルティなどを展示販売しています。つまり、**自社ブランドのファン作りへの意識が徹底されているのです**。

台湾高雄市政府のマグカップ

台湾を訪問予定のビジネスパーソン向けのアドバイスとして私がお伝えしたいのは、訪問先へのおみやげには心配りをしたほうがいいということです。

行きの空港で手早く購入した菓子折りを手みやげとしたところ、そのお返しとして何倍もの豪華なおみやげをもらい、恥ずかしい思いをしたという話を私は何度も聞いてきました。かくいう私も、かつてそうした経験をしています。

最近の日本の風潮からすれば、こうした贈り物文化を経費の無駄使いと考える向きもあるでしょう。しかし、こうしたおもてなしは**台湾では礼儀として捉えられている**のです。であれば、**「郷に入っては郷に従え」（＝中国語で「入境随俗」）**を実践するしかありません。

客人に美味しいものを食べてもらうことが最上のおもてなし

台湾人のおもてなし精神が最大限に発揮されるのは、食にまつわるときと言っても過言ではないでしょう。台湾の人たちは、来客者に対し、常においしいものをご馳走したい、できたてで温かいものを食べさせたいと考えているように感じます。

例えば、以前にこんなことがありました。

台湾南部の台南市を訪れ、ある企業の社長と商談をしていたときのことです。そのときにふと、ある食べ物の話題になり、私はそれを食べたことがないと答えました。すると、「えっ⁉ 食べたことないの？ せっかく台湾に来てくれたんだから、すぐにデリバリーを頼もう」と言い、その場ですぐに注文してくれたのです。

その食べ物とは、台南市で養殖されている**虱目魚**を材料としたスープでした。虱目魚はサバヒー（英名：ミルクフィッシュ）とも呼ばれ、台湾では養殖池で育てられます。たんぱくな味わいの身にはニシンのような小骨があるのが特徴で、台南市の名産として知られる魚です。

同じく南部の高雄市の会社を訪問し、会議をしていたときにも似たような経験をしたことがあります。

このときも会議の途中で「台北の麺よりもここの味付けはたんぱくでおいしいよ」という話になり、会議が終わったあとにご馳走してくれたのです。

台湾に通うようになった最初のころは、こうしたおもてなしは私が外国人だから特別にしてくれるのだろうと思っていました。

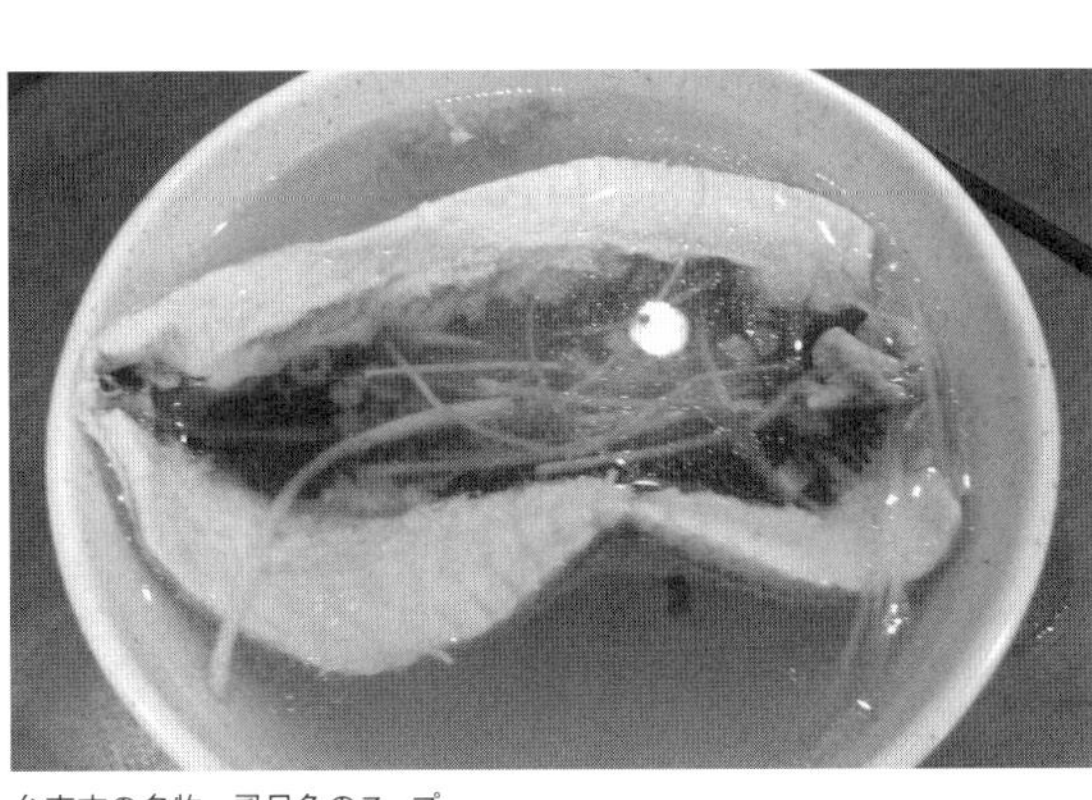
台南市の名物・虱目魚のスープ

ところが、台湾人同士の付き合いを見る機会が増えてくるにつれて、こうしたおもてなしは彼ら同士でもよく行われているのがわかってきます。北部の台北から南部の高雄に訪問者があれば、高雄の名物でおもてなしをしますし、高雄の人が台北に行けば、台北の名物料理で歓待します。このように、**「美味しいものを食べてもらうのが最上のおもてなし」**という文化が台湾には深く根付いているのです。

その証拠に、私の両親が台湾を訪れた際には、台湾の友人が台湾グルメツアーを企画してくれたことがありました。朝食から夜食まで、**B級グルメ、点心、台湾デザートなどを堪能する内**

容で、あちこちに大移動しながらの見事な食い倒れツアーでした。たった3日間の旅行でしたが、私の父は3キロも太ったほどです。

日本のクライアントのアテンドで台湾を訪れると、食べ物でのもてなしが続くので、クライアントの人たちは常にトイレの場所が気になって私に確認してきます。一方で、もてなす側の台湾の人たちは「日本のお客様」が食事に満足しているかどうかが気になり、日本のクライアントの反応を私に確認するというのがいつものパターンです。

日本人の多くは、自分たちこそが「おもてなし」の最たる実践者だと考えているかもしれません。しかし、**台湾の人たちのおもてなし精神のレベルも相当なもの**です。

そんな彼らのおもてなしの方法を知ることで、新たなおもてなしのヒントを得られるような気がします。

台湾人の政治への向き合い方

台湾の人たちの考え方を知るには必須の「政治」についても触れておきましょう。

台湾は議院内閣制を導入している日本とは違い、直接選挙によって台湾のトップ（総統）を選びます。この総統選挙には多くの台湾人が関心を寄せ、投票率は毎回90％前後に上るほど白熱した選挙戦が繰り広げられます。

世界各地に移住している台湾人も、総統選挙となると台湾に一時戻り、自分の出生地で投票するといった真剣さを見せるくらいです。

ここまで熱心なのは、やはりこれまでの台湾の歩みが大きく関係しています。1994年に民主的な総統選挙が行われるまで、台湾は国民党による一党独裁でした。**民主的な選挙の実施は台湾の人たちの悲願だったのです。**このあたりの感情は、日本人とは大きく異なります。

台湾の政治は、国民党と民主進歩党（民進党）の2大政党を中心に推し進められています。中国に対して異なるスタンスを持つ**これらの政党のいずれかの党首**

選挙期間中は街中に宣伝される

が総統になるのかによって、政策は大きく変わりますし、その変化が自分たちの仕事にも直接的な影響を与えるため、市民は必然的に選挙に高い関心を寄せるのです。

日本と違う点は、ほかにもあります。それは若い人たちも選挙に関心を持ち、自分たちの手で台湾の未来を作っていこうという意識を持つ人が多いということです。

事実、投票日になると投票所の前には長い列ができ、2時間待ちになったりもします。それでも皆、投票に出掛けるのです。

では、総統選挙の結果によってどのくらいの変化が起きるのか、過去の例を挙げて説明してみましょう。

2008年の総統選挙では、民進党の陳水扁に代わり、国民党の馬英九が総統に選ばれています。馬英九は、かねて中国に歩み寄る姿勢を見せていたため、彼が選ばれたことでそれまでの民進党による対中政策からは大きく転換することが予想されていました。

実際に起きた変化としては、台湾企業の中国への進出が優遇されたり、中国からの台湾投資が非常に円滑に進められるようになりました。成長著しい中国経済の勢いに乗ることができたため、台湾経済にとっては数々のプラスの影響がもたらされたのです。

政権交代が台湾社会にもたらすインパクト

一方、馬英九政権に代わってから、政府は中国との関係を縮め過ぎたため、中国は台湾に対してしばしば強気の姿勢を見せ始めます。

そんななか、２０１４年3月17日、与党国民党は台中間の「サービス貿易協定」についての立法会での審議を一方的に打ち切り、強行採決をします。

このサービス貿易協定では、台湾の「通信・病院・運輸・金融」などの市場を中国資本に条件付きで開放すると定められていました。これに異を唱えたのが、学生を中心とした３００人を超える人たちでした。強行採決後、彼らは議事堂内に侵入すると、立法院を占拠するのです。この行動は**「ひまわり学生運動」**と呼ばれ、のちに一般市民も加わり、50万人規模のデモに発展していきました。馬英九政権に対する国民の不信感は一気に高まっていったのです。

こうしたいきさつを経た2016年、馬英九政権にノーを突きつけるために誕生したのが民進党の蔡英文総統でした。

このときも台湾の状況は一時期、動揺に見舞われます。台湾に来訪する中国人観光客が激減し、観光サービス業にとっては大きな打撃となったのです。また、台湾産パイナップルや釈迦頭（バンレイシ）、文旦などの中国への輸出が制限されたことで、台湾の果樹農家は経済的な影響を被ります。


日本人にはあまりピンと来ないかもしれませんが、台湾における総統選挙の重みは実に大きなものなのです。

中国から輸出制限を受けた農作物については、政府が一丸となって日本や韓国への輸出販路を切り開いたり、積極的に農作物のＰＲを行ったりするなどして新

特産品のバンレイシ

たな道を探っていきました。

変化を恐れない思い切った姿勢と、それによって生じる問題に対する台湾の適応力については、まさに脱帽と言っていいでしょう。


ここまで述べてきたことからもわかるように、台湾の政治はどの政党が政権を取るかによって大きく変わります。それに伴い、近代史の捉え方について多少の変化が生じ、学校における教育内容が変わることもあります。

例えば、国民党政権時は中国（大陸）の歴史を学ぶことに重きが置かれがちですが、民進党政権に代わると台湾の歴史を学ぶことに軸足が移るといった変化が生じるのです。

日本に対する姿勢も変化します。馬英九が総統を務めた8年間は日本の存在感が薄れ、どちらかというと軽視されるような傾向が強まりました。日本では、台

文旦

湾の人たちの誰もが親日的だと考えがちですが、実際はどの政権下で教育を受けたかによって、日本に対しての関心度合いは異なってくるのです。

一方、デジタルネイティブとして育った若い世代は、インターネットを通じて日本のカルチャーに触れて多くの情報を吸収しているため、日本に対して親しみを感じている人たちが大半を占めます。おそらく彼らは、近代史の捉え方と現状を切り離して考えているのでしょう。

台湾で実感する日台男女の立場の違い

――浸透する男女間の平等意識

日本と同様、台湾でも世代によって働き方に対する考えが異なります。20代、30代の若い人たちは、**合理的かつ効率的に働ける環境を求めている**ようです。上司が帰るまで帰宅できない、上司との付き合いで飲みに行くといったこともほとんどなく、この点に関しては今の日本の状況と共通しています。

男女の立場についていうと、台湾は日本よりも平等意識が強いかもしれません。かつて日系企業で働いていた台湾の女性たちは、「日系企業だからしょうがないよね」と観念し、〝お茶くみ〟などの仕事を黙って引き受けていたそうです。しかし今は欧米的なワークスタイルがかなり浸透しているので、女性だからという理由だけでお茶くみを頼むようなことがあれば、確実に不満の声が漏れてくるでしょう。男女平等の意識については、日本より台湾のほうがより敏感と言えそうです。

男女の立場の違いに関しては文化的な要因も絡んできます。

例えば、日本の企業文化では、会社単位の食事会や打ち上げが行われる際、女性社員が男性上司にお酒を注ぐという慣習が今でも多少は残っているのではないでしょうか。しかし台湾では、元々そうした企業文化がありません。

こうした酒席では、男性でも女性でも社長や上司が盛

台湾では男性がお茶を淹れてくれるのが当たり前

り上げ役となり、部下たちを慰労する側に回ります。それをいかにうまくできるかが、ホスト役としての力量の見せ場であり、リーダーである社長や上司はその能力をアピールしようとするのです。

特に、前述した春節前に行われる「尾牙（忘年会）」では、その力量が試されます。尾牙は、社長や管理職が社員を労ったり、年齢地位関係なく楽しむ場なので、社員が喜びそうな景品を用意したり、その場を盛り上げてくれるアーティストを呼んだりするなど、おもてなし力を発揮しなくてはなりません。

このような席では、女性は男性や上司に過度な気配りをして大人しくすることもなく、〝座敷の華〟として会話に積極的に加わっていきます。こうしたところも日本とは明らかに異なるところです。

余談ですが、仕事を離れた個人的なお付き合いの場でも、男性が主にホスト役を務めます。知り合いのお宅を訪れたりすると、その家の主人が茶器を出してお茶を淹れてくれるのです。こうしたところでも日台の違いが窺えます。

女性優位の台湾社会
――両親、特に母親を大切にする家族観

台湾では男女平等がかなり浸透していますが、冷静に観察してみると、社会的にはかなり女性優位ではないかと思う光景にしばしば出くわします。

日本にも「かかあ天下」という言葉がありますが、台湾の場合は名実共に女性のほうが強い社会と言っていいでしょう。


1つの例として、住宅購入の際の習慣があります。日本では家やマンションを買うと、夫名義か夫婦名義にするケースが一般的です。ところが台湾では、名義は妻のものとすることが圧倒的に多いです。その理由は、住宅は男が妻に残すものという感覚があるからです。

この場合、仮に夫婦が離婚すると住宅はほぼ自動的に妻のものになるため、男性は

不利な立場に追い込まれます。

住宅以外の不動産を購入する際も、妻の名義にするのが通例です。節税対策を考えている夫婦もいるのかもしれませんが、だとしても不動産に関しては妻側に有利な条件を与えるケースが台湾ではとても多いように感じます。

そのほかの場面においても、台湾では女性や妻の意見が尊重される文化が根付いているのは間違いありません。これらはすべて、妻への愛情の証として捉えられています。

家族にも目を向けてみましょう。

台湾の家族で特徴的なのは、子どもたちが親を大事にすることです。特に母親を慕っている男性は多く、日本人から見ると台湾男性は〝マザコン気質〟が強いと感じるかもしれません。台湾では誰もが知る男性歌手、ジェイ・チョウにも「聽媽媽的話（ママの話をきいて）」という有名な曲があるくらいです。

男性が進路や就職で悩んだとき、母親の意見を頼りにする人はたくさんいます。

「母が反対したので、この学校に行くのはやめます」

「母が『台湾に帰って来い』というので、日本で就職するのはあきらめます」

日本人の感覚からすると唖然としてしまうようなセリフが出てくるのです。成人男性で「母の意思」に頼って決断することにうしろめたさを感じる人は少なく、成人男性であっても「母の考え」に耳を傾けて転職したり、仕事を辞めたりします。

たまに「両親が……」とか「父が……」と言う男性もいるようですが、ほとんどの人が「母が……」という言葉を口にすると言っていいでしょう。女性のなかには「父が……」と言う人もいますが、私が実際に見聞きした限りでは「母が……」と言う男性のほうが圧倒的に多数派です。これがいいか悪いかは別にして、台湾の家庭ではこれほどまでに**母の地位は高い**のです。

私の会社で働いていた台湾人スタッフも母親を大切に思い、LINEでこまめに連絡するだけでなく、毎月仕送りをしていました。

旧正月になると、どんなに時間やお金がかかっても台湾の人たちは必ず帰省します。台湾のことわざに「**世上只有媽媽好**（世界で一番素晴らしいのは母である）」や「**成功男人的背後都有一個偉大的女人**（成功する男性のうしろには偉大な女性あり）」というものがあるように、家庭においても「母」や「妻」である女性はとても大切にされているのです。

台湾人男性の彼氏や夫、父親としての立場
――ボーイフレンドや夫によるパートナーや子どもに対する気遣い

台湾の家庭では共働きが一般的なので、お互いのことをチームメイト、もしくはパートナーと考えている夫婦がたくさんいます。**実際に台湾では配偶者のことを「隊友」と呼び、**家事は男女で分担するのが基本です（未就学児を抱える家庭の共働き率は58・1％、就学児を抱える家庭の共働き率は74・5％。2018年調べ）。

男女の関係を観察すると、前項でも触れたように、台湾では女性のほうが強い存在に映ります。事実、恋人間では、彼氏が彼女の学校や職場に送迎する光景をよく見かけます。不満があると女性はストレートに文句を言うので、台湾の男性は女性にとても気を遣うのです。

日本人男性と結婚した知り合いの台湾人女性の嘆きを以前に聞いたことがあります。ある日、仕事を終えて電車で帰ろうとしたら、何らかのトラブルが起きて電車がストップしていたそうです。いつ運転が再開するかわからなかったため、彼女はすでに帰宅していた日本人の夫に電話をしました。このとき彼女は、「じゃあ、車で迎えに行くよ」という言葉を期待していたのです。

ところが夫から返ってきたのは、「ああ、そうなんだ。困ったね。気を付けて帰って来てね」という言葉でした。それを聞き、彼女はとてもがっかりしたそうです。

確かに台湾人の男性なら、**「迎えに行くよ」**と答えていたかもしれません。それくらい、台湾の男性は女性に尽くします。

気配りができる男性のことを、台湾の女性たちはよく**「エビの殻を剥いてくれる男性」**と言います。外食をして蒸しエビを注文したときに、恋人や奥さんのために殻を剥いてあげる気遣いができる男性は女性の間で評価が高いのです。

子育てについても、台湾の父親はとても積極的と言っていいでしょう。学校の送り迎えをしている父親の姿はどこに行ってもよく見かけます。

実際、2013年と2020年に台湾児福連盟によって行われた父親像についての調査結果を見てみると、**7年の間に父親の役割に変化が起きていることがわかります。**

2013年の調査によると、夫婦共働きであっても、台湾の父親は一家の主として忙しく働く存在として家族から見られていました。子どもに「自分のケアをしてくれるのは誰か」と聞いたところ、「母親」と答えた子どもの割合が高いという結果も出ています。父親は一家のなかで少し疎外された存在で、単なる〝ルームメイト〟として捉えている子どももいたのです。子どもからすると、いつも働いていて、家にほとんどいない存在という感覚だったのでしょう。

2013年当時、台湾ではこの調査結果が大きな話題となりました。多くの人たちが危機感を覚えたのです。それを受けて、子どもと父親の距離を縮めるべく**「ラブチルドレン333」**というムーブメントが起きました。

その内容は、「1日3回、子どもと一緒にいる機会を設けよう」「週に3回は一緒に食事をしよう」「月に3回は子どもと出掛けよう」というものでした。こうした動きが台湾で広がっていったため、2020年の調査結果では父子の距離がだいぶ縮まり、育児に積極的に参加する父親が増えました。

日本では、母親が育児を主導するのが当たり前という考えがまだまだ強いように感じます。その一方で、現在の台湾では夫婦が共に育児をするという考え方がかなり定着しているのです。

まずは〝マネ〟をして学ぶ姿勢

戦前の時代から、日本に留学して学び、その知識を活かして台湾で起業するという人がたくさんいました。それは今でも変わりません。

台湾と日本の教育環境における相違点の1つは、**台湾には専門学校の種類が日本に比べると少ない**ということです。もちろん、ＩＴ系などの技術系や語学を教える専門学校はたくさんあるのですが、専門的なデザイナーやクリエイター、ツアーガイド、パティシエ、パン職人、調理師、もしくは変わったところではマンガ家や声優になるための専門学校はほとんどありません。

したがって、これらのプロになりたいと思った台湾人が目指すのが日本なのです。

実際に台北などの大都市を歩いていると、日本の専門学校でスイーツ作りやパン作りを学び、専門性を磨いてから帰郷した人たちがオープンさせたお店を見かけることがしばしばあります。

そんな彼らの姿勢を見るたびに、外国の知識を吸収しようとする台湾の人たちの熱意を感じざるを得ません。


事実、台湾に来ると、**「日本で学んだ」というエピソード**をよく耳にします。

例えば、以前にこんな話を聞いたことがありました。

台湾企業の工場で働いていた技術者が、日本の取引先の工場に出向させてほしいと申し出て、実際に日本にやって来たそうです。彼が派遣された先は、メッキ加工の工場でした。

実際に工場で働きながら日本の優れたメッキ加工技術を学んだ彼は、台湾に帰ってからしばらくすると、自らが学び取ったノウハウを活かすために起業をしました。その後、彼の会社は順調に成長し、今では半導体製造に欠かせない素材を作るまでになったと言います。

この会社の社長は、帰郷後も技術を学ばせてもらった会社との関係を大切にし、OEM受託などを通じて日本の会社との関係を強めていきました。さらに、日本の会社が東南アジア向けにビジネスを展開する際にはパートナーとなって助力するなど、良好な関係を維持しているようです。

バブル経済が崩壊する前の日本から見ると、台湾企業はまだまだ小規模なものに映っていたこともあったのかもしれません。しかし、バブル崩壊から30年近くが経過した今、状況は様変わりしました。**かつては日本から学ぶ一方だった台湾側は、今や大きな成長を果たし、世界で指折りの時価総額を誇る半導体メーカーのTSMCを筆頭に、分野によっては日本よりも進んでいます**。その事実をしっかりと受け止めて、学べるものがあれば日本は台湾から大いに学ぶべきです。

起業家精神が旺盛な台湾人と実力主義で社員を評価する台湾企業

――失敗を恐れず、さらに1つのことに固執しない

台湾人には日本人と似ているところがたくさんある一方で、違うところも多々あります。台湾人と付き合っていると、やはりそれをいつも実感します。

それらの違いの1つが、**転職に対する抵抗感の低さ**です。

勤めている会社に不満があったり、今よりもいい条件の仕事をほかで見つけたりすると、台湾の人たちはためらいもなくすぐにジョブホッピング（転職）をします。そんな彼らを見ていると、ジョブホッピングをキャリアアップの一環と考えているようにさえ映ります。

ジョブホッピングをする大きな理由は、何と言っても**給料**です。台湾の大卒初任給は約2万8000台湾元（約10万円）ほどで、台湾の物価を考えると決して多いとは

言えません。そのため、**昇給を求めて転職しようと考える人がたくさんいる**のです。

また、企業体質も日台では異なります。台湾の企業は年次や年齢に関係なく、成果を出したり、明確に会社の業績に貢献したりしたときには、昇給やボーナスですぐに評価してくれるケースが多いのです。社員側も、**自分が「いい仕事」をしたと思えば、上司や社長に直接掛け合い、給料アップの交渉を積極的に行っていきます。**

その際、自身の貢献度が評価されないと感じれば、転職先を探し、あっさりと退職してしまうことも珍しくありません。

実力主義、成果主義の傾向が強い台湾では、起業家精神が旺盛という側面も際立ちます。失敗してもまたやり直せるという台湾の人たちの共通認識が起業意欲をいっそう高めているのでしょう。２０２１年の統計によると、コロナ禍を挟んだにもかかわらず、起業者数は顕著に増えています。

日本では、一度失敗すると、「自分は向いていない」と肩を落とし、すぐに自信をなくしてしまう人が多いような気がします。

一方、台湾には、

「失敗的是事、絶不應是人（失敗したのは物事であって、あなた自身ではない）」

「不試試怎知道（やってみなけりゃわからない）」

「勇往直前（勇気を持って前進する）」

「坐而言不如起而行（口だけでなく行動あるのみ）」

といったことわざや格言が多くあり、これらの言葉に背中を押されるかのように新たな目標に挑戦する人たちがたくさんいるのです。日本人はこの姿勢をもっと見習っていいでしょう。

考え方が柔軟なところも台湾人の特徴の1つです。

起業をすると一度決めたら、それまでの自分のキャリアに執着することなく、成功する確率の高いビジネスに果敢にチャレンジしていきます。

広告代理店で働いていたからと言って、広告業界での起業にこだわるようなことなく、儲かるとわかれば、飲食店でも貿易でも、より確実性の高いものに挑戦していくのです。

起業家精神が旺盛なのは、会社勤めをしている人だけに限ったことではありません。飲食業界における台湾ドリームの体現者として知られる**鼎泰豊**（ティンタイフォン）がいい例です。小籠包で有名な鼎泰豊は今や、台湾だけでなく、日本を含む世界各地でレストランを出店していますが、元々は台北の街角で商売をする小さな屋台でした。鼎泰豊のサクセストーリーは、台湾の人たちのチャレンジ精神をよく表しています。

もちろん、企業に勤め続けるのは悪いことではありません。ただし、選択肢は1つではないのです。多くの台湾人が考えるように**将来的に独立することを目標にすると、日本の人たちも今現在の仕事をより俯瞰的に見ることができる**のではないでしょうか。

一族企業における女性の役割

――社会貢献に力を入れる台湾の〝社長夫人〟

台湾には、家族ぐるみで営む小規模企業や老舗商店が数多くあります。こうした家族経営ビジネスで独特な存在感を放っているのが**老闆娘**（ラオバンニャン）です。老闆娘は文語的に訳すと「社長の妻」となりますが、より的確なニュアンスを示すなら**「女将さん」**と言ったほうがしっくりときます。

老闆娘をよく見かけるのは、昔ながらの商売をしている宝石店や漢方薬局です。彼女たちは店頭に立って接客をしたり、薬局であれば薬の調合をしたりしながら、店舗を切り盛りしています。

最近の話をすると、家族経営をしている人気のステーキ店で老闆娘が奮闘している姿が台湾のテレビで話題になっていました。一家の子どもたちは、学校を終えて母親が取り仕切る店に帰ってくると、すぐに接客の手伝いを始めます。テレビの画面にはそんな子どもたちの姿がいきいきと映し出されていました。台湾には今もこのような店舗が数多く存在しているのです。

女性が活躍している姿を見られるのは、家族経営の会社や商店だけに限りません。例えば、ＴＳＭＣや鴻海精密工業のような世界的大企業であっても、トップの配偶者は社長夫人として公の場で積極的に活動します。企業のトップは中国語では**董事長**（ドンシージャン）と記されるので、そこから転じて董事長夫人は**董娘**（ドンニャン）と呼ばれます。

彼女たちが行うのは、主に公益活動です。大企業の董娘という知名度を活かして基金の立ち上げやチャリティーイベントに参加し、社会貢献をしています。

日本にも数多くの世界的大企業がありますが、それらの企業の社長夫人が積極的に社会貢献活動をしているという話はあまり聞きません。この点は台湾とは大きく異なると言っていいでしょう。

台湾では日常的に「**駕馭**（女性が男性を転がす）」「**馭夫術**（牡馬の手綱を取る）」「**聽某嘴、大富貴**（富豪になりたいなら、偉人の言葉よりも奥さんの話をしっかりと聞け）」というフレーズがよく使われます。

これらのフレーズから窺えるように、台湾社会の中では女性の存在はかなり大きなものなのです。

合理性と派手さを重視する台湾人
――ビジュアルの美しさより「記憶に残る」ことを選ぶ

台湾に行くと驚くのが、企業広告の斬新さです。日本の発想では考えられないような様々な場所や方法で広告を目にするので、それを見るだけでも楽しめます。

代表的な例の１つが、ヘアサロンでの広告です。

ヘアサロンで髪をカットしてもらっている間、通常、客は鏡に映る自分の姿を眺めつつ、退屈しのぎに雑誌を読んだり、スマホをいじったりするしかありません。そこで台湾の広告会社が思いついたのが、ヘアサロンの鏡の下の部分をスクリーンにして動画広告を流すことでした。

広告を流す側には、ヘアサロン客をターゲットとした特定の広告を何度も流せるというメリットが生じ、それをうまく利用したのです。同様の広告は、住居用エレベーターモニターやバスターミナルモニター、長距離バスモニターなどでも行われています。広告に限ったことではありませんが、台湾ではこうした**合理性がとても重要視**されるのです。

ところで、台湾では文字で訴える広告よりも、ビジュアルでわかりやすく表示する広告が好まれる傾向があります。

具体例として、eコマースでよく使われる商品紹介用のランディングページを見るといいでしょう。日本式のランディングページは、商品について長々と説明を綴ったパターンが多いのが特徴です。一方、台湾の場合は動画などを巧みに使ったビジュアル重視のランディングページが主流です。仮に台湾で日本式の長々としたランディングページを作成したら、ランディングページからの離脱率はかなり高くなるでしょう。

鏡に映し出される動画広告

豪快な広告が多いのも台湾の特徴です。例としては、観光工場とも呼ばれる製造工場のデザインがあります。ビール工場の煙突をビール瓶に見立ててペイントし、遠くから見てもビールを作っている工場だとわかるようにするのです。

　このような観光工場では、工場見学や試飲ができたりします。単に製造工場としてではなく、**観光工場として開放し、商品のファンになってもらうことを意図**しています。

　交通広告でも、ラッピングバスの派手さは日本以上です。

　台湾では、バスの側面の窓の部分もドットを使った広告スペースにしてしまいます。バスの中からは外の景色が眺められますが、外から見るとバス全体が広告になっているように見えるのです。

街中を走るラッピングバス

　このド派手なバスを見るたびに、台湾の大胆さを実感します。

「そこまでやる?」という広告も台湾ならではと言っていいでしょう。私はそれらを**〝おせっかい広告〟**と呼んでいます。

典型的なのが、タバコのパッケージです。日本の場合、喫煙の害を告知するために「喫煙は、あなたにとって肺がんの原因の一つとなります」「心筋梗塞の危険性を高めます」「肺気腫を悪化させる危険性を高めます」との警告文が書かれていますが、台湾ではもっと露骨に「死にますよ！」「胎児に悪影響がありますよ！」と強烈なメッセージが添えられています。

別のバージョンでは、歯がボロボロになった写真を掲載したり、「吸えば吸うほど、お金、信頼、仕事はなくなり、最後には命もなくなります」という辛辣な文章が記されていたりもします。これらを読んだら、タバコを吸いたいと思う人もさすがにためらいを覚えるのではないでしょうか。

電車内の床を使った斬新な広告

オンとオフの境目がない台湾社会
――「会社とは」「子育てとは」という固定観念にしばられない

日本では「ワークライフバランス」という考え方が広まり、仕事とプライベートの間に境目(オン/オフ)を設けることが良いとされる傾向があります。ところが、台湾では仕事と普段の生活の境目はあいまいで、それを分けようという発想は希薄です。

元々区別があいまいだった状況に拍車をかけたのが、スマホの普及でした。スマホさえ持っていればオフィスにいなくても仕事ができてしまうので、台湾の人たちはSNSを使って取引先と連絡を取り合い、自分の会社とのやり取りを済ませてしまいます。

日本のビジネスパーソンの場合、仕事用のメールアカウントとプライベート用のアカウントを分けている人が多いのではないでしょうか。しかし台湾ではそうした区切りはあまりありません。実用性を重視する傾向が強いため、Facebookのメッセンジャーや LINE を使い、いつどこにいても仕事をしてしまうのです。

仕事で台湾に行き、夜になって知り合いと食事に出掛けると、彼らがスマホに届いた新しいメッセージをチェックして、すぐに返事をしている場面に頻繁に遭遇します。かたや仕事中でも、個人的なLINEやメッセンジャーに対応している様子をよく見かけます。仕事関係のメッセージであろうと、プライベートのメッセージであろうと分け隔てなく対応するのが台湾流なのです。

こういうと、台湾の人たちが長時間にわたって仕事モードに入っているように感じるかもしれません。しかし実際はそうではなく、気を抜けるところではしっかりと抜き、彼らなりにうまくバランスを取っているのです。

事実、昼休みにオフィスの電気を消し、1時間の**お昼寝タイム**を実施している企業もよくあります。お昼寝タイムは小学校から連綿と引き継がれている台湾の習慣です。パールミルクティー（タピオカミルクティー）をUber Eatsでまとめて注文し、社内で分け合う光景もしばしば見かけます。

就業時間中は気を抜かず、フルパワーで働こうとするのが日本のスタイルだとしたら、台湾のスタイルは四角四面に9時から17時の間だけ働くのではなく、暇なときは就業時間内でも力を抜き、忙しいときは就業時間外であっても対応するといった感じです。

仕事をする女性の考え方についても、台湾には独特のものがあります。

近年では日本でも結婚や妊娠をしても仕事を続ける女性がかなりの割合を占めてきましたが、子育てをしながら時短をせずに働くのは難しいと考える女性は大勢います。これとは対照的に、台湾の女性たちは産休を取得したあとは、大半がフルタイムの従業員として職場に戻っていくのが一般的です。

そういう女性たちを台湾で見るたびに、パワフルだなといつも感じます。

この状況を可能にしているのは、子育て環境の充実度の高さです。

平日は実家の両親に預け、土日に育児する週末育児が社会的に浸透しているのも共働き夫婦にとっては負担の軽減につながっています。それに加え、お風呂や夕ご飯まで対応してくれるシッターさんや、朝ご飯を食べさせてくれる保育園のサービスが充実しているため、女性が職場に復帰しやすいのです。

子育てを母や父だけの役目にせず、一族や社会全体でするという認識が浸透しているからこそ、こうした環境が整えられていったと考えられます。

共働き家庭は、特に若い世代に多いです。このことは平日の昼のスポーツジムに足を運んでみるとよくわかります。そこには若い女性の姿はほとんどなく、主婦をしているような年配の女性しかいません。

仮に若い女性が昼にジムに通っていると、おせっかいな年配女性から「あなた仕事してないの？」と質問されたりすると言います。

女性でも職を持つことが当たり前である台湾社会だからこそその発言ではないでしょうか。〝子育てしかしていない〟という状況に対し、ポジティブに捉えないという社会的な風潮が今の台湾にはあるのです。

第3章

日本とはまるっきり異なる台湾式ビジネスの進め方

Taiwan's growth strategy is the best model.

臨機応変がきく台湾人のメンタリティ

――業種にこだわらず互いに手を組める適応力

日本と台湾の間でビジネスをするとき、考えなくてはいけないのはやはり**お互いの相性**です。双方がウィンウィンの状態に到達できれば、**「ベストマッチ」**が実現したと言っていいでしょう。しかしその一方で、どうしてもうまくいかず、「ミスマッチ」が生じてしまう場合もあります。ミスマッチが起きるのは、互いの実情をよく理解できていないときがほとんどです。

そこで本章の最初の項目では、私が実際に関わった教育関連のビジネスでのベストマッチのケースを紹介していきます。

2015年、台湾に新たな市場を求めた日本の学習塾の明光義塾は、台北に初の校舎を開校しました。明光義塾は徹底した個別指導で知られ、運営会社である明光ネットワークジャパンは東証プライムに上場する大手企業です。

この前年の2014年、明光義塾からの依頼を受けた私は、受け皿となる台湾企業との仲介役を任されました。

このときに明光義塾から依頼されたのは、台湾進出に際し、「マスターフランチャイズとして台湾市場での拡張を一括して担ってくれるパートナーを探してほしい」という内容でした。

明光義塾の要望を把握した私は、すぐに動き出しました。

明光義塾は日本では一部上場している大企業ということもあり、台湾全土を視野に入れてフランチャイズ展開をしていきたいとの考えを持っていました。その希望に沿ってパートナーを探すとなると、すでに台湾で大規模な塾経営を行っている相手の存在が不可欠でした。ところが、いくら探しても、彼らの計画を受け入れ、それを実行できそうな規模の受け皿が台湾にはなかったのです。

どうするか検討しているうちに、台湾各地で塾経営をしている6つの地方企業を1

つにまとめ、明光義塾の台湾展開を推し進める母体企業を作るという案が浮上します。これが実現すれば、台湾での受け皿としては申し分ありません。そこでさっそく母体企業作りを始め、目鼻がついた時点で、ようやく一息つけました。

ところがしばらくすると、これらの6社連合とは別の企業がフランチャイズ権の獲得に名乗り出てきます。その会社は、台湾の教科書を出版している大手企業でした。ただし、教科書を出版する彼らに塾経営ができるかどうかは未知数であり、不安要素を抱えていたのです。

2組の候補を前にして、明光義塾は悩みます。

私の会社がアレンジしていたのは、6社の塾連合を明光義塾のマスターフランチャイズとするというプランでした。したがって、6社連合との契約が結ばれることを望んでおり、教科書会社は私たちのライバルと言えました。

結果がどう出るかまったく予想のできないなか、明光ネットワークジャパンの社長・幹部一団の台湾訪問が決まり、両候補との面会がセッティングされます。

6社連合の代表たちは、文字どおりの熱烈歓迎で迎え入れ、親睦を深めながらマスターフランチャイズとしての自分たちの潜在力をアピールしました。その後、明光の社長・幹部一団は教科書会社の幹部とも面会を行い、判断材料を集めていったのです。

このときの私の心境は、実にひやひやしたものでした。6社連合との契約が締結されれば、自分の会社にとって大きな実績になります。逆に実現しなければ、大きな落胆は避けられません。


固唾をのんで結果が出るのを待っていると、何とも臨機応変な流れに傾いていきます。なんと、**6社連合と教科書会社が手を組み、共に明光義塾を展開しようというプランにまとまった**のです。

これは、7社が一枚岩になってマスターフランチャイズ権を獲得してくれたほうが強固な基盤が作れると明光義塾側が判断し、そのプランを提案したことにより実現したものです。こうして7社連合が会社を設立し、明光義塾の台湾での展開がスタートしたのです。

結果として、7社が一緒になったのは大正解でした。各社のノウハウが効率的に活かされて、契約締結から1年も経たない2015年に最初の教室を開校できたのです。

その後、校舎の数は順調に伸び続け、2022年の時点で109校にまで成長していきました。

ライバル関係だった双方が、瀬戸際で手を握り合って早々に1つになれたのは、台湾人の合理性がうまく発揮されたからではないでしょうか。

マスターフランチャイズ権を獲得した7社連合によって設立された会社は、現在、7社のうちの1つの会社の社長がトップに就任し、台湾での明光義塾の運営に当たっています。

双方にとって何が重要かを考え「ベストマッチ」を実現させる彼らの決断力に私は感激しました。

日本で売れないものは台湾でも売れない
——親日だからと言って、何にでも日本流は通用しない

台湾の企業を相手にビジネスをする日本企業が犯しがちな間違いは、日本の売り方

を台湾の企業相手にも適用しようとすることです。しかし、これをすると商談はなかなか成立しません。

例えば日本だと、商品の卸値は定価の6掛けや7掛けをしたものが一般的な相場です。そこで日本の企業の多くは、この計算をそのまま用いて6掛けの値段で台湾の輸入業者に商品を卸そうとします。ところが、台湾側では輸送コストや関税諸税、販売先への手数料などが上乗せされるので、日本の卸値を適用すると価格がかなり跳ね上がってしまいます。価格が高くなれば消費者にとって求めにくいものになり、これでは思ったような売り上げも望めません。

台湾の業者も消費者もクレバーなので、日本のモノを購入する際には、日本のECサイトで小売価格を調べ、価格の妥当性をしっかりと検討します。調べた結果、日本での小売価格とあまりにかけ離れているようなら、購入を控える場合もあるのです。

第1章でも触れましたが、台湾の消費者は値段にとても敏感であり、売り手は常に割引やセールを求められます。これをするには、卸値をどうしても下げなくてはなりません。6掛けでは話にならず、5掛け、もしくはさらに値段を下げなければ買い手がつかないのです。それができずに苦労している日本の業者を私は何度も目撃してきました。

台湾のマーケットをしっかりと理解していない日本の企業もちらほら見かけます。「台湾は親日だから、日本のものなら何でも売れるだろう」

勝手にそう思い込み、日本の工芸品を売ろうとする企業がたまに出てくるのです。しかし日本の工芸品は台湾ではあまり売れません。台湾でビジネスをしようと思ったら、「台湾人は日本の何が好きなのか」をしっかりと把握する必要があります。

台湾の人たちは日本の食べ物が大好きなことは間違いありません。それは事実なのですが、佃煮のような食品を売るのはとても苦労します。その理由は、台湾では白米に対する考え方が日本とは少し異なるからです。

日本の場合、主食はあくまでもお米であり、おかずは副食という考え方を持っている人が多いのではないでしょうか。一方、**台湾では、美味しいおかずが主食であり、白米はあくまでも副食と考える人が多い**のです。したがって、副食の〝添えもの〟である佃煮にはどうしても食指が動きません。

日本ほど白米の品質が良くないことが影響しているのか、白いご飯よりもおかずを重要視する傾向が強いのです。そうした背景があるため、日本のような〝熱々ご飯のお供に〟というフレーズは台湾ではあまり響きません。

佃煮の販売促進を依頼されたときは、佃煮だけを売るのではなく、小ぶりのおにぎりの試食を提供しながら、**瑞々しい日本米とのセット販売をする**という方法を採用しました。

日本と台湾の間には似ている部分はたくさんありますし、日本の商品が受け入れられる土台はあります。しかし、**ビジネスをする際には異なる習慣にも目を向けないと死角を突かれてつまずいてしまう**ことも考えられます。この点には十分留意をしておいたほうがいいでしょう。

台湾にスイカを売り込む日本人

――その国の食文化や習慣を考えて販売手法を変える

日本人が陥りやすい勘違いは、ほかにもあります。

台湾では日本の果物はとても人気です。それをどこかで聞きつけたのか、事前に厳選するというプロセスを踏まずに、とにかく日本から果物を持ってこようとする業者がいます。しかし、日本の果物が人気の台湾といえども、何でも売れるというわけではありません。

例えば、日本のリンゴは人気ですが、それは「赤」が縁起の良さを象徴するものであり、リンゴ（中国語で「蘋果（ピングオ）」）の蘋の発音が「平安（ピンアン）」の「平」の発音に似ているから好かれているのです。「1日1個リンゴを食べていれば風邪をひかない」と昔から家庭で言われ、健康食品と見なされていることも人気に関係しています。台湾で栽培されているものよりも品質が良い点も人気の理由の1つです。

しかし、スイカとなると話は変わります。台湾のスイカはとても甘みがあって美味しく、サイズが大きいのにもかかわらず安価です。そうした事実を知ってなのか、もしくは知らないでなのか、日本のスイカを台湾で売り込もうとする日本の自治体があったりします。当然ですが、前もってしっかりと台湾の実情を調べておかないと、失敗する確率は高くなるばかりです。

果物に限らず、食についての勘違いは本当によく起こります。

台湾では中食（なかしょく）文化が発達しており、テイクアウトを利用する人がたくさんいます。台湾の中食が日本のものと明らかに異なるのは、**どの店も熱々の食べ物を提供している**点です。その違いは、台湾の鉄道駅で売られている駅弁を見るとよくわかります。冷めた食べ物はおいしくないと考える人が多いため、台湾の駅弁は熱々のヒーターの上で温められたものが販売されているのです。駅弁を買い求めた人の中には、食べ物が冷めてしまうのを嫌い、買ってすぐに待合室で食べ始めてしまう人もいます。

駅弁についてさらに言うと、2020年にシウマイで有名な崎陽軒が台湾のセントラルステーションである台北駅に海外1号店を出店したことが話題になりました。

崎陽軒にとって新たな試みとなったのは、セイロに入った熱々のシウマイをその場でお弁当に詰めて提供することでした。事前の調査により、崎陽軒は「日本のように冷たいままのシウマイ弁当では台湾では絶対に売れない」とわかっていたのです。

「作り置いたものや冷めたものは貧しい人の食べ物……」

台湾人が心のどこかに抱く感覚に気配りができた崎陽軒は、シウマイ弁当の好調な売れ行きを見事実現することができました。


一方、セブン-イレブンが台湾に進出したときは、苦戦を強いられました。セブン-イレブンの売れ筋である「おにぎり」がまったく売れなかったのです。作り置きの冷めたおにぎりはなかなか受け入れられず、浸透するまでにかなり時間がかかりました。

結果としては、以前から日本のドラマやアニメに頻繁に登場するおにぎりに興味を持つ人が買い求めたことで、徐々に受け入れられていきます。

その後、コンビニ総菜も台湾の人たちの生活のなかにすっかりと溶け込み、現地の味覚や習慣に合わせたオリジナルのおにぎりやおでん（関東煮）、ちまきなどが次々と開発されるようになりました。最近では、韓国風カニミソ味のおにぎりが人気のようです。

屋台やデパートの催事場で食べ物を販売する際にも、台湾独特の売り方があります。これらの場所で食品販売をするなら、**試食サービスがつきもの**なのです。試食ができない食品には、誰も興味を持ってくれません。

私自身が実際に台湾で日本の抹茶をプロモーション販売したときも、現地の人たちにできるだけアピールできるように工夫を凝らしました。

台湾では日本の茶道に興味や憧れを持つ人が多いという状況を活かし、単に抹茶を試飲してもらうのではなく、茶室を模した仮設スペースでまずは甘いらくがんを味わってもらい、そのあとに本格的な茶器で立て

台湾で日本の抹茶をプロモーション販売したときの様子

た抹茶を試飲してもらいました。

また、ギフト包装をした「茶道セット」を用意したところ、1日に100セット以上が売れる盛況になったのです。

同じ商品を売るにしても、どこで売るかによって販売方法は大きく変わります。話題が台湾から逸れますが、アメリカで抹茶のプロモーション販売をしたときは、アメリカ人が抱く「抹茶＝健康ドリンク」というイメージを活かし、豆乳と抹茶をシェイクしたものを試飲してもらうことで抹茶の魅力をPRしました。

このように、**台湾を含め海外でビジネスをしようと思ったら、現地の状況に合わせて販売手法を柔軟に変えていくことが重要**なのです。

公平で柔軟な台湾の就職環境

終身雇用の時代を経験してきた日本では、同じ会社に長く勤めているだけで社会人として評価される風潮がいまだに残っています。社員研修や人材育成を行う企業が多いのも、長期雇用を前提としているからでしょう。

また日本には、学校を卒業した学生たちが同時期に一斉に会社に入社するという「新卒採用」の慣習があります。

しかし台湾では、新卒採用という仕組みは存在しません。台湾で就職する場合、企業側が求めている能力や技能、資格があれば、新卒、既卒に関係なくその仕事に応募できます。

日本と同様、台湾でも多くの人が就職サイトを通じて仕事探しをします。就職サイトでは、「1111」「104」が台湾では有名です。サイトを利用する以外では、出身の大学や高校などから紹介してもらい就職するケースもあります。

台湾の就職サイトが日本と明らかに違うのは、募集対象を新卒者と既卒者に分けていない点です。重要なのは、能力や技能、資格なので、新卒か既卒かの違いはさほど重要ではありません。

台湾の企業では、毎年4月に新入社員が一斉に入ってくることはなく、各自がバラバラに入社してきます。したがって、日本のような「同期入社」という概念はなく、入社式や内定式は行われません。

就職に関するこうした公平性や柔軟性は、働く人にとって選択の幅を増やし、多くの機会を与えてくれます。

日本の就職事情も少しずつ変わりつつあるようです。これからもさらに変わり続けるのであれば、**台湾で見られるような公平性や柔軟性を取り入れていくのも１つの案でしょう。**

台湾人が違和感を抱く日系企業の会議のあり方

台湾の企業におけるコミュニケーションは、職歴や年齢、性別にとらわれることなく、ざっくばらんに行われます。その際には、言いたいことを我慢したり、相手に忖度して本心と異なることを口にしたりはしません。それだけに、台湾人が日本的な職場コミュニケーションを理解するのは容易ではありません。

日系企業や日本で就職した台湾人がよく言うのは、「日本企業の会議はとにかく長い」ということです。しかも会議の前には資料やレポートの作成を求められ、場合によっては、会議用の資料を作るための別の会議があったりと、非効率的なことが多いと感じています。

さらに実際の会議では、用意した資料やレポートをだらだらと読み上げるだけで、活発な議論を交わしたり、意見を発表したりするわけでもないので、台湾人からすると目的がなかなか見えず、違和感を覚えるのです。若手社員から出された意見も、上司の時代遅れな発言で打ち消されたり、保留になってしまったりするので、会議をする意味がないように感じると言います。

一方、台湾企業で行われる会議では、「これについて皆さんの意見を述べてください」と求められるケースが多く、その意見に対してその場で議論を展開していきます。しかも、ある程度の結論に達した時点で終わるので、会議の時間は長くありません。必要事項のみ議論し、数分で終わってしまう会議もあるくらいです。

日本ではよく「報連相」が重要視されます。一方、台湾では上司に報告をし、意見をもらったあとは、それに対して自分の考えを述べるというパターンが一般的です。その際のやり取りには、「相談」という要素は含まれません。むしろ「こう思ったので、私はこうしました」という結果報告に重きが置かれます。

このように、日本と台湾の社内コミュニケーションにはかなり大きな隔たりがあるのです。

台湾のアメーバ経営
——勝算があれば、どんな事業にもチャレンジ

台湾企業とのビジネスを始めるようになってから、私には気が付いたことがあります。それは、**「アメーバ組織」**がとても多いという事実でした。

アメーバ組織とは、事業を特定のものだけに確定させるのではなく、社会や需要の動向を見極めて柔軟に変化していく組織を指します。

この定義が示すように、台湾には本来の事業とはまったく異なる分野に進出し、新しいビジネスを立ち上げようとする企業が数多く存在するのです。彼らが「これはイケるぞ」と判断したときの初動の速さは日本とは比較になりません。

そうした企業の代表格に、東元電機があります。元々はモーターの生産と販売を行っていた企業で、1990年代以降は、電子制御、情報、建設などの事業にも参入し、1997年には台湾新幹線の5つの創設株主の1つになりました。

主に鉱工業に従事する東元電機ですが、1992年に日本の外食チェーンである**モスバーガーとフランチャイズ契約を結ぶ**という動きがありました。こうした姿勢は、まさにアメーバ組織そのものです。

同年、台湾モスバーガーの1号店をオープンさせたあとは順調に店舗数を伸ばし、2021年の時点で275店の規模を誇るまでに成長させています。さらには中国本土の厦門を皮切りにその他の都市や香港にも水平展開させ、規模拡大を推し進めているのです。

東元電機は、のちにロイヤルホストともフランチャイズ契約を結んでおり、今では台湾における日本の外食産業の浸透を担う存在として君臨しています。

もう1つの例は、遠東集団です。元々は紡績業を営む企業として、1942年にスタートした同集団は、現在では金融業や電気通信事業、不動産開発などを手掛ける複合企業に成長しているのです。

遠東集団は１９６７年には流通産業にも進出し、百貨店経営に乗り出しました。日本のそごうとも契約を交わし、現在、台湾で「遠東ＳＯＧＯ百貨店」の運営を行っています。１９９６年には電気通信産業にも参入し、アメリカＡＴ＆Ｔ社と合資で遠傳電信を設立しました。

同社は、その後も膨大な資金力をバックに百貨店経営や電気通信産業を積極的に進め、今では台湾の百貨店の最大手、通信最大手として認知される存在です。**時代に即した産業に打って出る遠東集団は、日本の財閥系のグループにも似ている**と言っていいでしょう。

大手企業だけでなく、中小企業にもアメーバ組織は見られます。

例えば、私の知り合いのレイさんが経営する会社のケースです。

彼は父親から受け継いだ水着の会社を経営していました。ところが数年前、日本を訪れたレイさんは、高級食パンが日本で流行っているのを目撃します。これに商機を見いだした彼は、水着の会社を経営する一方で、高級食パンの販売にも乗り出すのです。彼の会社のように、企業が新たな事業へ進出する話題は台湾のあちこちで見聞きします。

台湾人のビジネスの特徴は、臨機応変なところです。それまでの業種にこだわることなく、**儲かりそうなビジネスなら躊躇せずに飛び込んでいきます。**「儲かるかどうか」が台湾の人にとっての最も重要な判断基準であり、いい意味でも悪い意味でも、ビジョンやクレドを頑なに堅持するような会社はどちらかというと少数派なのです。

仮に失敗したら、それは**「失敗的是事、絶不應是人（失敗したのは物事であって、あなた自身ではない）」**「失敗為成功之母（失敗は成功の母）」。周囲にくどくどと言い訳じみた話をすることもほとんどなく、次の挑戦に目を向けていきます。

チャレンジに対する抵抗感は圧倒的に低く、それが台湾ビジネスの強みなのです。

スピード重視の台湾企業と慎重な日本企業

――チャットを駆使して、速い決断と行動を実現する

私の仕事の1つに、日本に関連したビジネスを始めようと考えている台湾企業向けのコンサルティングがあります。

その一環として、ブランド戦略コンサルタントの村尾隆介さんと共に、2カ月に一度のペースでセミナーを実施し、これまでに200社ほどの企業と接してきました。その経験からわかったのは、台湾企業の積極性の高さでした。どの企業も「何かをやろう」「やってみよう」という意識を常に持っており、さらに行動に移すスピードもとても速いのです。

日本企業向けにもコンサルティングを行っている村尾さんによれば、**「日本企業に比べて5倍くらい速い」**と言います。

意思決定と行動の速さについては、私も同じ意見です。

「前向きに考えてみます」

「社内に持ち帰って検討してみます」

慎重さを重視し、なかなか行動に移れない日本企業に比べると、スピードの速さはいっそう目立ちます。

台湾企業の敏捷性を高めているのは、**トップダウンの意思決定システム**です。トップが「やる」と判断したら、その場で物事が決まってしまうのです。決定した内容についての社内向けの報告や説明は、事後に行われます。これにより、素早い行動が可能になるのです。

社長と社員がグループLINEやチャットワーク、slackなどのコミュニケーションツールで繋がっていて、それを通じて報告、相談、決済、承認などを行っている企業もよくあります。日本のように稟議書を上げて承認印をもらうといった手間のかかる作業を求める会社はほとんどありません。

私がよく知るＩＴ企業も、決断と行動の速さでは目を見張るものがありました。本業のＩＴ事業で大きな収益を上げていると思っていたら、海外の有名コスメブランドの台湾での販売代理権を得て、すかさず台湾内でコスメ製品を売り出したのです。

ＩＴ企業だからといって決してその分野だけに留まろうとしない台湾企業の臨機応変さには、ときに驚きを通り越して感銘すら覚えます。

台湾式ビジネスには欠かせない縁と人脈
――縁と人脈を築くのも「能力」のうち

台湾のビジネスを見ていて強く感じるのは、**縁と人脈**の重要性です。この２つの要素は台湾のビジネスシーンでは不可欠なものであり、とても大きな影響力を持っています。縁と人脈が人を結び付け、そこから新たなビジネスが生まれる場合も多く、そうした動きから台湾式ビジネスの輪郭が見えてくるのです。

縁と人脈の結び付きによって立ち上げられた会社の典型的な例として、**鮮乳坊**を紹介してみましょう。

この会社は、親友同士の２人によって２０１４年に立ち上げられています。漢字の表記を見て推測できるとおり、鮮乳坊は乳製品をＥＣ（ｅコマース）で販売する会社です。

２０２１年時点で10万人の会員に乳製品を定期配達しており、年間17億円の売上額まで拡張させてきました。

鮮乳坊は個人向けだけでなく、台湾のファミリーマートやセブン‐イレブンにも商品を卸しており、会員以外の顧客にもなじみが深い会社です。

親友同士の2人組は、獣医と他業種の経営者というまったく立場の異なる間柄でした。にもかかわらず、乳製品のＥＣに商機を見いだし、会社設立にまでこぎつけたのです。

日本では、友人同士で会社を設立したという話をあまり聞きませんが、**台湾では珍しいことではありません**。縁や人脈が重要視される社会なので、むしろそうした展開を後押しする雰囲気のほうが強いのです。

コネによって利益を得る側も、それに対して負い目を感じることはなく、素直にチャンスを受け入れます。こうしたところにも、台湾と日本の違いが見て取れると言っていいでしょう。

興味深いのは、縁や人脈に対する台湾人の姿勢です。これらを非常に重要視していると思わせる一方で、それに**いつまでもしがみつくようなことはしません**。仕事や機会を与えられたとしても、自分に合わなかったり、好みではなかったりしたら、あっさりと手放してしまうのです。こうした行動を目の当たりにするたびに、台湾人の合理性の高さと判断の迅速さを感じます。

縁と人脈に関してさらに言うと、なぜか学閥による人との繋がりについてはあまり聞きません。

台湾における最高学府は国立台湾大学です。そのほかにも私立大学で名門とされる大学はあります。しかし、出身大学が同じということだけで特別な縁や人脈はあまり生じないようです。

台湾も日本に劣らないくらい学歴社会であり、いい大学を出れば、それに見合った仕事が得られます。とはいえ、日本の東大閥や早稲田閥、慶應閥のようなものは存在しません。

修士や博士号といったより高い学位を持っている人は、台湾社会でも評価されます。

ただし社内の評価は出身校や年次に関係なく、実力主義、成果主義で決まるのです。

コスメ界のパタゴニアを目指す緑藤生機

——初めから「グローバルブランド」をねらう

台湾式ビジネスの特徴をさらに幅広く知るために、いくつかの企業を取り上げてみようと思います。

まず初めに紹介するのは、スキンケアやコスメ、ヘアケアなどの商品を製造、販売する**緑藤生機**（リュウタンセンチ）**（グリーンバインズ。Greenvines）**です。この会社の商品は、台湾の若い女性なら誰もが知っているほど人気があります。

グリーンバインズは、子どもを持つ母親たちによる主婦連盟的なグループを出発点とし、当初は、品物を安く入手するため団体購入をしていました。その後、規模がだんだんと大きくなり、グループは、創設者の１人である母親の息子のハリス（鄭涵睿）に引き継がれていったのです。

グループを引き継いだハリスは、台湾大学に通っていたときの同級生2人に声をかけ、自分たちが納得できる商品の開発に挑みました。そうして生まれたのが、オーガニックコスメブランドの緑藤生機でした。

このブランドは、自分たちが開発した商品に強いこだわりと誇りを持っており、商品に使われている成分由来を100%情報開示しています。

緑藤生機は2022年1月、私の会社に大胆な依頼をしてきました。その依頼とは、ブランド戦略コンサルタントの村尾さんと私と共に1から新ブランドを立ち上げるというミッションでした。

「グリーンバインズらしさで、アロマの世界を変えていきたい」

「自分たちらしいピュアなアロマ商品を出そう」

「家族や赤ちゃん、ペットも安心して楽しめる本物の香りを届けよう」

こうした熱い想いに駆られながら、新ブランドを立ち上げるプロジェクトが動き出したのです。

その後、週に1度のペースで日本と台湾をオンラインで繋いでミーティングを重ねた結果、わずか９カ月という短期間で**「〈auscentic〉オウセンティック」**という新たなブランドが誕生します。このブランド名は、英語で「本物」という意味であるauthenticとscent（香り）をベースとした造語で、「自然の香りを、そのまま」をブランドの軸となる言葉にしました。

ロゴやその他のデザインは〝不規則〟を基本路線にしています。人工的なものはサイズや角がきれいにそろっているのが普通ですが、自然界ではあらゆるものが整っていません。そんな自然の美しさを打ち出したかったのです。

こうした「そろっていない」という面白さを〈auscentic〉のパッケージやボトルのデザイン、店頭ディスプレイなどで随所に反映させています。

彼らは当初から「世界進出」を見据えたブランディングを計画し、日本のセンスを新ブランドに取り入れようと考えていました。そこで、村尾さんに新ブランドのすべてのプロデュースを依頼したのです。

オウセンテックのHP「greenvines.com.tw」

グリーンバインズの経営陣たちは、**「コスメ界のパタゴニアになる」**という信念を掲げながら、ずっと事業展開を推し進めています。アウトドア用品を扱うパタゴニアは環境に配慮した商品作りで知られ、「私たちは、故郷である地球を救うためにビジネスを営む」というミッションを掲げる企業です。グリーンバインズはこの姿勢をお手本にしようとしているのです。

台湾のイーロン・マスクと称される陸学森が率いるGogoro

次に取り上げたい **Gogoro** は今、多くの人々の注目を集める会社です。

この会社は電気スクーターを製造する新興ブランドであり、台湾全土にバッテリーの交換ステーションを保有し、若者を中心に急速に売り上げを伸ばしています。

Gogoroを率いるのは、香港生まれ、アメリカ育ちの**陸学森**です。スクーター大国の台湾からスタートしましたが、彼は台湾にゆかりのある人ではなく、アメリカ在住時代に現地で知り合ったマット・テイラーをパートナーとして会社を設立しています。

Gogoroが台湾で設立されたのは、２０１１年でした。その後、15年7月に電動スクーター「Gogoro」の出荷が開始されます。すると、翌16年8月には早くも販売台数が1万台を突破し、17年5月には最新モデルのGogoro2も登場しました。価格が抑えられたこのモデルは大ヒットし、１カ月で1万５０００台ものセールスを記録するのです。その結果、台湾内シェアの4分の1を占めるまでに成長します。

Gogoro 製の電動スクーター

台湾のオートバイ市場では、これまでヤマハと光陽、三陽が不動の御三家でした。しかしここに来て、Gogoroも御三家に肩を並べるようになり、第4のオートバイブランドの地位を固めつつあります。こうした成功を背景に、少々大袈裟かもしれませんが、陸は台湾のイーロン・マスクと称されるほどの有名な人物となりました。

Gogoroが画期的なのは、冒頭で述べたとおり、台湾全土にバッテリーの交換ステーションを設置したところでしょう。2022年現在、バッテリーステーションは台湾全土で2215カ所（およそ700メートルに1カ所）あり、93万8045個のバッテリーが流通しています。バッテリーユーザー数は45万3300人に達しました。Gogoroが台湾全土にステーションを設置したことで、走行中に電池がなくなった場合でも最寄りの電池ステーションに立ち寄ってフル充電されている電池と交換できるようになり、バッテリーの〝クラウド化〟が実現しました。

台湾は完全なスクーター社会であり、**市民の2人に1人がスクーターを保有しています**。スクーター通勤をしている人も多く、市民には欠かせない乗り物です。こうしたスクーターの存在に目をつけて、陸は電気スクーターの開発に乗り出したのです。

彼の卓越した手腕は、資金調達の際にも発揮されています。台湾政府の国家開発基金やシンガポールのテマセク、日本の住友商事やパナソニック、元アメリカ副大統領のアル・ゴアなどから資金調達し、その一方で、ヤマハと協業して新型モデルも発売しています。

これらの動きを見てもわかるように、Gogoroの強みは人脈を巧みに活用する能力とフットワークの軽さに秘められていると言えそうです。

Gogoroは今、アメリカのナスダック市場への上場を目指している最中であり、今後もますます注目を集めることでしょう。また2022年にはスクーターユーザー数が1億人を超える世界3位のバイク大国インドネシアにも進出を果たしています。

最初から世界を視野に入れる台湾企業
──チャンスを逃さない台湾的アメーバ経営手法

続いて取り上げるのは、台湾南部の高雄市を拠点とするプロリルというポンプの会社です。地方都市に本社を構えるプロリルですが、物事を常に世界基準で考えており、台湾企業のポジティブな一面をしっかりと備えています。

この会社の特徴の1つは、社名にあります。ポンプの会社と言うと、業種がすぐにわかるように「○○ポンプ」という名前をつけがちですが、同社はそうしませんでした。プロリルのようにＢｔｏＢのビジネスを行う台湾企業は常に海外進出することを念頭に置いており、グローバルマーケットでも通用する社名を採用する傾向があるのです。

世界基準で物事を考えるという点では、李成家がトップを務める**美吾髮**も台湾ではよく知られています。

１９７６年、李はアメリカのヘアスプレーＶＯ５の代理店として台湾美吾髮を設立すると、その後は整髪、スキンケア、入浴、クリーニングなどの製品を含む独自のブランド「美吾髮」を開発してきました。また現在は、博登薬局チェーン店の経営、医薬品マーケティング、健康食品や新薬、幹細胞バンク、超音波ハイエンド医療研究開発材料などの研究・開発を行っています。

台湾企業のビジネスの王道的な手法の１つは、日本やアメリカ、ヨーロッパのブランドと販売代理店契約を結ぶというものです。それを足掛かりにしつつ、**商品の魅力や特性を学び取った上で、次に自社で独自の商品を開発し、それを販売していく**のです。美吾髮は、まさにこの手法を踏襲したと言えます。

蔡宏圖が率いる**国泰金**も、台湾的な企業です。この会社は、２００１年12月に設立された会社ですが、２０２１年12月時点で約10兆台湾元（当時のレートで約41兆円）ほどの総資産を抱え、台湾最大の金融グループとして知られます。

この企業が台湾的なのは、蔡宏圖の実弟である蔡政達が経営に関与する同族企業だからです。

２０２０年、米雑誌の「フォーブス」は蔡兄弟を台湾で最も裕福な50人に選び、２人の純資産を71億米ドル（約２１４４億台湾元、約７５００億円）と発表しています。

同じく金融グループである**富邦金**は蔡明興がトップを務める会社で、２００１年12月に設立されています。この会社は、国泰金に次いで台湾で2番目に大きい金融グループです。

富邦金は銀行業のほかに、証券や生命保険、メディア（テレビ局）などの業界にも進出しており、トップの蔡明興は、国泰金の蔡兄弟といとこ同士という関係です。

同族企業という点では、**台湾プラスチックグループ**も例外ではありません。この会社は、1954年に王永慶と王永在の兄弟によって設立されました。

台湾プラスチックグループは、台湾企業の中で第5位となる約3兆円の時価総額を誇る企業です。現在、同社は繊維、バイオテクノロジー、石油化学、電子部品、教育などの分野にも進出しており、1976年には父親の名前である「長庚」を冠した「長庚紀念病院」を建設しています。

7つの分院を有するこの病院は、年間約820万人の外来患者を診療し、約14万人に手術を行う医療機関です。台湾人の4人に1人がこの病院で診察を受けた計算になるほど大規模な施設であり、台湾屈指の病院として知られています。

ちなみに兄の永慶は、台湾で「経営の神様」と呼ばれる人物です。2008年に91歳で亡くなり、現在は弟永在の息子である王文淵がグループ総帥を務めています。台湾を代表するスマートフォンメーカー、HTCの社長を務める王雪紅は王永慶の三女です。

国泰金、富邦金、台湾プラスチックの3社は、同族企業としての色合いが際立ちます。いずれの企業も、グループ会社の要職に創業者の兄弟や娘婿、いとこ、親戚が就任していることからもその傾向は容易に窺えます。台湾を代表するこれらの大企業を筆頭として、**同族企業が数多く存在するのが台湾ビジネスの特徴**なのです。

もやしの輸入も人脈から
――ビジネスを実現するフットワークの軽さ

私の会社では、台湾での事業展開を計画している日本の企業や自治体組織に向けた支援の提供を行っています。これを行うにあたって重要なのは、何といっても人脈です。事実、私はこれまでに何度も人脈に助けられてきました。

実例を挙げると、数年前にこんな経験をしたことがあります。

その当時、支援していたクライアントは、日本のもやしメーカーでした。彼らは日本のもやしを台湾に輸出しようと考えていたのです。

ところが、私は最初から壁にぶつかります。国内でも多くのもやしを栽培している台湾では、それまでに外国からもやしを輸入した実績がなかったのです。

台湾に外国産のもやしを輸入することができるのか……。

台湾内マーケットを保護するための規制はないのか……。

まずはこれらの基礎的な情報収集から始めました。

リサーチをした結果、日本の農林水産省に相当する行政院農業委員会に届け出を提出する必要があることがわかります。

それまでの経験から考えて、このときに〝一業者〟として正面玄関からアプローチするのと、委員会の中の担当者に直接アプローチするのとでは、その後の対応のスムーズさに大きな差が出てくるという予感がありました。

そこで私が行ったのは、SNS上に「日本の農産品を台湾に輸入したいのですが、誰か農業委員会に知っている人はいませんか?」と書き込むことでした。するとすぐに仲間内でメッセージが駆け巡り、しばらくして「知り合いがいるよ」という答えが返ってきたのです。

当然ですが、便宜を図ってもらうために賄賂を手渡すわけではありません。単に、知り合いを通じて担当者を紹介してもらうだけのことです。ただし、これをしておくことで話の通じ方は確実にスムーズになります。

この種のフットワークの軽さとスピードの速さは、なかなか日本にはないものです。

このケースでは、最終的に日本からの輸入に関する許可をもらいました。幸いなことに、タイミングも味方してくれました。もやしは中華料理に不可欠であり、台湾でも大量に栽培されています。ただし、大規模な栽培工場は少なく、農家が家内工業的に栽培していました。そのため、品質が安定しないという問題を抱えていたのです。見た目をよくするために、漂白剤を使って洗浄するという報告もあり、食の安全性という観点からも疑問が呈されていました。

こうした状況が追い風となり、日本産もやしの台湾への輸出を実現させることができたのです。実はこのメーカーは、台湾に投資をして工場を建設し、もやしを現地生産することを考えていました。そんな姿勢も台湾当局から評価されたのでしょう。

中国本土で大量の従業員を雇用する台湾企業

台湾経済部（日本の経済産業省に相当）が2021年に発表した2020年の中小企業白書によると、中小企業（従業員数が200人以下、資本金1億台湾元以下）の数は154万社に達します。この数は、台湾の全企業のうち98・93％（従業員数は80・94％）を占める割合です。また、台湾の全就業人数1150万人のうち、中小企業就業者は931万人（80・94％）で、過去3年で緩やかに上昇しているようです。

この白書が示すように、実際に台湾とのビジネスに関わってみると**中小企業の存在をあちこちで感じます**。私が取引をしている企業を見ても、成長の途上にある中小企業がほとんどです。歴史の浅い新しい企業も多く、それらの会社では創業者が今も現役でトップを務めています。

実際のところ、この10年間のＩＴの発展に伴って新たに起業する人たちが一気に増え、ソフトウェアやシステム開発、もしくはマーケティングビジネスなどのスタートアップが続々と立ち上がりました。また、ＩＴビジネスに乗り出した経営者には、海外留学の経験者が非常に多いという傾向があります。

こうした新しい動きがある一方で、長らく台湾の経済成長を支えてきた電子部品やＯＥＭ、ＯＤＭ関連の産業も堅調に成長しています。

代表例が、**ASUSやエイサー（Acer）**のような企業です。どちらの企業も、当初はパソコン部品を製造し、それらを海外メーカーに輸出していました。それが次第に自社ブランドのパソコンの製造を始めるようになり、世界市場において大きなシェアを獲得するほどの大企業に変貌したのです。

台湾の製造業で特徴的なのは、生産拠点を海外に持っている会社が多く、自社の工場で働く台湾人が極端に少ないということです。

台湾の製造大手のほとんどが中国に工場を持っており、そこで働く従業員たちは現地で採用されています。台湾企業とはいえ、従業員数では中国人が圧倒的に多かったりするのです。台湾の人口（約2360万人）に相当する雇用を台湾企業が中国で創出しているとも言われています。台湾式ビジネスを捉えるときは、台湾企業に大量の労働力を提供する中国の存在も見ておくといいでしょう。

ただし現在は、政府の「新南向政策」によって、拠点を東南アジアに展開移転する流れが大きくなってきています。

ユーモアと口コミで広がる台湾ビジネス
――クオリティの高いノベルティグッズや記念品の製作が盛ん

日本の**ゆるキャラブーム**はひと段落した様相ですが、遅れてブームが訪れた台湾ではゆるキャラが今も注目を集めています。
元々のブームの火付け役は、熊本県のPRマスコットキャラクターだった「くまモン」でした。ここから始まり、ひこにゃん（如彦根貓）や、ふなっしー（船梨精）などの日本のマスコットキャラクター（いわゆる「ゆるキャラ」）が受け入れられていったのです。

その影響から、台湾でも消費者の注目を集めたり、ブランドの好感度や商品の認知度を高めたりする目的で企業やブランドのマスコットキャラクターを作成する企業が増えています。

マーケティングの成功例としては、大同社の**「大同坊や（大同寶寶）」**や、セブン－イレブンの営業ライセンスを持つ統一グループが日本の電通に委託して作成したセブン－イレブン台湾の**「OPENちゃん」**などが有名です。台湾の中央および地方政府も、観光マーケティングや政策キャンペーンのためにマスコットキャラクターを活用しています。

マスコットキャラクターとは少々異なりますが、台湾ではPRのためにノベルティグッズや記念品を用意する企業や役所がたくさんあります。しかも、それらのクオリティが非常に高いのです。パッケージや紙袋の統一性にもこだわっており、「とりあえず作ってみた……」という雰囲気を感じさせません。それを可能にしたのは、少量から手ごろな価格で製品を作れるという台湾の製造業の力です。ノベルティグッズや記念品の出来栄えに「面子」をかけるという意気込みも影響しているのかもしれません。

台湾では、都市部に1カ所しかない安いホテルでも、路面の小さな飲食店でも、しっかりとしたクオリティのノベルティグッズを配っていたりします。それらのどれもが**独自の世界観を持って作られたことがわかるもの**ばかりです。

日本の場合、無料で配られている記念品やノベルティグッズは、デザインもクオリティもイマイチなものが多いのですが、台湾は違います。中小企業であっても、記念品やノベルティグッズを作る際は、プロにデザインを任せ、**自社のブランディングにプラスになる物を作ろうとする**のです。ブランディングに関する理解については、日本よりも台湾のほうが深いと感じることがよくあります。

デザインに関して言うと、台湾の地方自治体のホームページにもセンスのいいものが多いです。この点について言うと、日本の地方自治体のホームページのデザインはかなり後れを取っています。

ただし、何事にも例外はあるものです。

2022年、台湾で最大の店舗展開を行う全連スーパーがアメコミのマーベルのキャラクター消しゴムを作り、４００台湾元（約１８００円）以上の買い物をした顧客に１つプレゼントするというキャンペーンを実施しました。力を入れて準備したノベルティグッズのはずでしたが、キャラクター消しゴムのクオリティがあまりにも低かったために、プレゼントされた顧客から呆れられることになるのです。結果、多くの人がその使い道について皮肉を込めた投稿をＳＮＳで行いました。

ところが、それがかえって「きもくて、ダサい！」と話題となり、キャラクター消しゴムを求めて全連スーパーに買い物に行く人が殺到したのです。

こうした例外は確かにあります。しかし通常は、どのノベルティグッズもハイクオリティであり、受け取る側を喜ばせてくれるものばかりです。

第4章

台湾人の私生活

Taiwan's growth strategy is the best model.

値段にシビアな台湾人
――「団体購入」や「代理購入」が発達

普段は優しくておっとりしている台湾人も、買い物となると人が変わったようにシビアになります。

「少しでもいいからお得に買いたい」

こんな意識がむくむくと頭をもたげ、「どこで買うか」よりも**「どれだけお得に買うか」**について真剣に考えるのです。

台湾には、日本と比較にならないほどの多様な「物の売り買い」の方法が存在します。商品の値段に関して敏感な人が多い台湾では、店舗での定価はあってないようなものです。デパートでは年中セールを行っていますし、ネットショッピングでは値下げ商戦が過熱して、元々「1000台湾元」だったものが赤い線で打ち消され、「今なら890台湾元」という謳い文句と共に提示されていたりします。こうしたお得感がないと消費者の購買意欲を引き出すことはできません。

そのため、売り手は常に買い手の関心を引き寄せるために工夫をし、あちこちで独特のセールが繰り広げられています。

また、街中の店舗でよく目にするのが、**「買○送二」**という貼り紙です。○の中には数字が書かれており、「買三送一」とある場合は、3つ買うと1つがおまけでもらえる仕組みになっています。スーパーから一般商店、デパートに至るまで、実に多くの売り場がこの方法を取り入れています。

お得に商品を買う方法のなかで最もお得感があるのは、まとめ買いです。そのメリットを最大に活かすために、グループを作って商品を大量に買い入れ、購入後に商品を分けている人たちもたくさんいます。友達同士や同僚など、声を掛け合って人数を集め、割引率が高くなるようにまとめて一気に買うのです。

私自身も、クライアントの商品のネット販売をサポートするために、割引セールを行った経験があります。そのときの価格設定は、1個目は1000円、2個目からは20%オフ、10個購入で50%オフというものでした。いざ行ってみると、10個セットを注文する人がたくさんいたのを覚えています。個人で使うような商品にもかかわらず、届け先が会社の住所になっているケースが多かったのは、おそらく会社の仲間たちで商品を分けるためだったのでしょう。

同僚や友達同士でのグループ購入という枠をはるかに超え、ネット上で見知らぬ人たちがグループを組み、**共同購入するという方法も一般化しています。**発起人がFacebookなどのSNS上で賛同者を募り、値引き価格で共同購入したあとに、メンバーに発送するのです。

これは、台湾では昔からあるCtoCの販売手法で、**「団体購入」**や**「代理購入」**と呼ばれています。グループのリーダーが商品紹介やオーダーを取りまとめ、集金や発送手配まで一貫して行ってくれるので、人気のある購入方法です。

グループの大きさは、参加者が数人のものもあれば、10万人を超えるものも存在します。台湾では怪しいECサイトで中国製の偽物をつかまされた経験のある人も多く、それらのサイトで偽物を買わされるくらいなら、信頼できる団体購入のリーダーや友人から買ったほうが安心という意識がグループの増加につながったのでしょう。

グループの広がりを受け、店舗とECサイト間での値段比較に加え、**買いたい商品**

が共同購入の対象になっているかを調べることが当たり前になっています。そこまで手間をかけて、少しでも安く品物を手に入れるのが台湾スタイルなのです。

共同購入はどんどん発達していき、共同購入のグループを運営する管理人が日本在住の台湾人と協力し、日本で売っている商品を共同購入するケースもあります。Google フォームで申込書を作って購入希望者を募り、代金の振込を確認後、商品を発送するという方法が一般的なようです。

共同購入は女性の間で広く浸透しており、そうした背景もあって、女性ならではのグループを運営する人たちがたくさんいます。例えば、助産師が運営するグループでは妊産婦を対象にした商品を扱っていたりするなど、対象者を絞ってグループを形成しているのです。

そのほかの買い物方法として、「インフルエンサーLIVE販売」や「クラウドファンディング予約販売」が最近は盛んで、これらのサイトを通じて友達同士や同僚同士でまとめ買いをする人も増えています。

ところが日本では共同購入はなかなかハードルが高いようで、私は以前に日本に住む台湾人のママ友からこんな話を聞いたことがありました。

「子どもが前から欲しがっていたキャラクターもののお弁当箱セットがあったので、ママ友のグループラインに『5セット買うと、1つ20％オフになるから一緒に買わない？』と声をかけたんです。すると、あまりいい顔をされませんでした……」

これについて彼女は、「日本では友人間でお金のやり取りをする機会が少なく、そもそも割引目当てだと**何となく〝ケチ臭い〟と感じる人が多いのではないか**。友人同士での〝商売的な行為〟を嫌う傾向もあるのかもしれない」と分析していました。

この出来事を経験し、**「お得に買える情報」や「買ってよかった商品の情報」が友人からひっきりなしに送られてくる台湾**との違いをひしひしと実感したと言います。

この話からもわかるように、買い物という1つの側面から見ても、日本と台湾ではスタイルが大きく異なるのです。

台湾が誇る多彩な食文化
——古くから根付く素食文化とは

台湾のことをある程度知っている人からすると、台湾料理には魯肉飯（ルーローハン）、蚵仔煎（オアチェン）、擔仔麺（タンツーミエン）など肉や魚を使った料理が多い印象があるかもしれません。しかし意外なことに、**菜食主義の人が多く、その割合は全人口2360万人のうちの約14%にも達します。**

事実、**素食**（スシー）と呼ばれる菜食主義者用の料理は、台湾ではおなじみの食事です。素食については非常に厳密な決まりがあり、スーパーなどで売られている素食食品の成分の表記方法については法律で規定されています。肉や魚が含まれていないのは当然ですが、卵や牛乳、もしくは**五葷**（ウーフェン）と呼ばれるニンニク、玉ネギ、ネギ、ニラ、ラッキョウが

いたるところに「全素」のマーク

使われているかどうかを細かく表記しなくてはならないのです。

卵や牛乳、五葷のすべてが使われていないものを**全素**（チュエンス）と言い、全素の食品しか口にしない人もたくさんいます。レストランのメニューやスーパーの食品売り場では「全素」という文字をよく目にすることからも、いかに菜食主義が根付いているのかがよくわかります。

菜食者用に作られた豆腐や湯葉、大豆やこんにゃくを使った代用肉のレベルは高く、種類はとても豊富です。乾燥させた豆腐で作った東坡肉（豚の角煮）の食感は肉そのもので、菜食者でない人たちにも人気があります。素食だけを提供するビュッフェス

素食の料理の例

タイルのレストランも多く、素食は台湾の食文化の1つになっているのです。
台湾の素食は、もともと仏教徒や道教徒の間で発達してきました。ところが最近では、動物愛護や環境保護という観点から素食に興味を持つ人が増えています。さらに健康を考えて菜食を実践する人たちも加わって、台湾はインドに次ぐ菜食主義者大国になっているのです。

漢方的思考で行動する台湾人
――健康維持のために食生活に気を遣う

漢方的な考え方は、性別、年代に関係なく、すべての台湾人に親しまれています。漢方に基づく概念は、台湾人の生活全般に根差していると言っていいでしょう。

「とにかく体の内側を冷やさない」

これが漢方の基本的な考え方です。そのため、台湾の人たちは子どものころから祖母や母親から「体を冷やしちゃダメだよ」と言われて育ちます。

台湾の夏は暑いので、涼むためにアイスクリームを食べるときも確かにあります。ただし、レストランやカフェ、食堂などで氷の入った水を飲むようなことはしません。これらの店で出てくるのは、たいていが常温水です。冷たいタピオカミルクティーを頼むときも、「氷なし」を頼む人が大半を占めます。

台湾人観光客が日本に旅行に来て驚くのは、飲食店で氷水が出されることです。日本人の側からすれば、サービスで氷水を出しているという感覚でしょう。ですが、台湾人にはそれが「体を不調にする水」に見えてしまうのです。

冷たいものだけに限らず、台湾人は自分たちが口にするものに普段からとても気を遣っています。例えば女性の場合だと、生理前に体にいい漢方の栄養ドリンクを飲む人が多いです。こうした栄養ドリンクは、コンビニやドラッグストアで必ず売っているので、気軽に手に取ることができます。

特に女性に人気があるのは、**四物飲**（スーウーイン）です。**西洋人参、甘草、棗、当帰、シャクヤクなどの漢方薬が配合されたプルーン味のドリンクで、体調不良を緩和する効果が期待できます**。

このほか、**鶏精**（チージン）という鶏のエキスは、性別に関係なくよく飲まれている栄養ドリンクです。贈答用に使う人がいるくらい台湾人の間ではなじみがあります。鶏精には高麗人参エキスをブレンドしたものもあり、滋養強壮ドリンクとして人気です。

出産したばかりの母親が必ず食べるものと言えば、やはり**麻油鶏**（マーヨーチー）ではないでしょうか。こちらはごま油をふんだんに使った鶏肉の鍋で、妊産婦の滋養強壮のための料理です。鶏肉のほかには、生姜や棗が入っており、妊娠と出産によって失った体の栄養素を補うために食べます。

麻油鶏

女性が必要な栄養を補う飲食物は台湾には多く、若いころから女性たちはそれらを口にして健康維持に役立てているのです。

ちなみに、台湾の薬膳料理や中華料理では、大分県産の干しシイタケがよく使われ、体を温める鍋山薬鶏鍋には北海道産の山芋が重宝されています。

台湾人の味覚

漢方的な考え方から塩分は体に良くないという意識があるため、台湾の人たちは優しい味付けのものを好みます。

台湾には日本のラーメンが好きな人がたくさんいますが、そんな彼らでもスープについては塩辛いと思うそうです。

台湾人が麺類を食べるときは、スープも飲み切ります。そうした習慣があるので、すべて飲むにはラーメンのスープはしょっぱ過ぎると感じるのでしょう。その一方で、日本の味噌については甘いという感想を口にする人が多く、そこは不思議なところです。

台湾には酸味にこだわる人がたくさんいます。酸味のなかでも酸っぱいものと甘酸っぱいものを比べた場合、甘酸っぱいものに人気が集まるようです。

台湾は気温が高いエリアなので、単に酸っぱいだけだと腐っていると感じてしまうと言います。そうしたこともあり、しめ鯖が苦手という台湾人は多いです。

日本人と同様、台湾人はうまみにも固執します。昆布やシイタケ、カツオのだしを好み、ワサビの辛さもお気に入りです。それを証明するかのように、台湾の飲食店に行くと山盛りのワサビが出てきたりするので驚くことがあります。ワサビはそれほどまでに台湾人に受け入れられているのです。

日本では鍋料理は主に冬に食べるものですが、台湾では季節に関係なく1年中食べられています。夏になると、冷房を最大限に利かせた飲食店のなかで汗をかきながら鍋料理を食べるのです。夏バテ防止の薬膳鍋のメニューもあり、いかにも台湾的だなと感心させられます。

縁起を気にする台湾人

台湾人は、食べ物と縁起をしばしば結び付けます。

例として**パイナップル**を挙げてみましょう。パイナップルは、台湾語で客人やお金がやって来るという意味の「旺來（オンライ）」と同じ発音のため、非常に縁起がいい果物とされます。その縁起にあやかろうと、台湾の商店ではパイナップルの形をした装飾物がよく飾られています。

そのほか、「菜頭（ツァイトウ）」（大根）は、幸先がいいことを意味する「彩頭」と発音が似ているため、縁起のいい食べ物の1つです。パイナップルと同様、縁起物として大根の形をした装飾物を持っている人もいます。

水餃子は、昔のお金（銀錠）に形が似ているので、金運を呼び込む食べ物として有名です。

みかん（橘子（ジュヅ））は「桔」とも書き、発音や字体が「吉（ジ）」に似ているため、みかんも縁起がいいとされます。日本ではお祝いのときに胡蝶蘭をプレゼントしたりしますが、台湾ではみかんの木を贈るのです。

桃は、言い伝えによって桃源郷に実る不老長寿の果実とされているので、縁起ものといわれます。

台湾では気候の関係で桃の栽培がうまくできず、どうしても輸入しなければなりません。それらの輸入品の桃のなかでも、日本産はとても人気があります。

リンゴも縁起のいい果物です。第3章でも述べたように、リンゴは中国語で**「蘋果（ピングォ）」**といい、「蘋」の発音が平安（ピンアン）の「平」と同じことから縁起物とされています。風邪を寄せ付けない健康果物としての需要もあります。

リンゴは日本からかなりの量を輸出しています。青森県産に限って言うと、輸出分の約8割が台湾向けです。

ちなみに、2019年の**台湾向けの日本の農水産食品の輸出額ランキングを見ると、リンゴが1位、日本酒が2位、調味料が3位**という順位でした。

これを見ただけでも、日本のリンゴが台湾で人気なのがわかるはずです。春節(旧正月)にはお歳暮としてリンゴを贈る風習もあり、七福神絵柄や縁起の良い文字をリンゴの表面に描いたギフトが重宝されています。

台湾人は、文字や数字に関しても縁起を担ぎます。

中国語では、**数字の「八（バー）」はラッキーナンバー**とされますが、その理由は「発財（ファーツァイ）」（財を起こす）の「発」と発音が似ているからです。一方、「四（シィ）」は「死（シ）」と発音が似ているので、不吉な数と見なされます。

数字に関連した話をすると、7月は「鬼が来る月」と言われ、縁起が良くありません。この時期、商店を営む人たちは、店舗の軒先でお祓いをするなどして厄払いをします。

縁起の話は十二支にも及びます。龍、辰は縁起のいい干支とされ、豚（イノシシ）は金運の象徴として扱われるのが一般的です。

贈り物をする際にも、台湾人は縁起にこだわります。

例えば、置き時計を贈るのは台湾ではタブーです。中国語で置き時計は「送鐘（ソンチョン）」と書きます。これは「葬式をあげる」という意味の言葉と同じ発音なので、縁起が悪いとされるのです。

縁起という点では、扇子(シャンズ)は不適切とされます。シャンズが「散って別れる」という言葉と同じ発音なので、贈り物には不向きです。

神経質になり過ぎる必要はありませんが、台湾の人と付き合うときには**縁起に少し気を遣うと相手に喜ばれます**。また、台湾で商品を売りたいのであれば、縁起と結び付けて販売戦略を考えるのも1つの方法です。

女性に優しい産後ケア

かつての台湾には、「産後1カ月間、母親は水に触れてはいけない」という風習がありました。この期間は「坐月子(ツォユエズ)」と呼ばれ、妊産婦はなるべく体を動かさないようにし、栄養補給に徹するのです。坐月子の間は、洗髪や入浴も禁じられていました。

坐月子の考え方は、今でも妊産婦の産後ケアに欠かせないものとして継承されています。ただし、以前のような厳格さはなく、洗髪も入浴も自由にできます。

今も残る坐月子の代表的なものが、**病院に併設されている産後保養センターでの静**

養です。出産を済ませた女性の多くがこのセンターに入り、約1カ月の間、母体を休ませ、体調の回復に努めます。

フィットネスを売りにしていたり、洗髪のサービスを提供していたりと、様々なタイプのセンターが存在します。センターには助産師が常駐し、食事も毎食用意してくれるので、この環境は女性にとっては申し分ありません。家族が同室で寝泊りできる施設も多いです。

食事は滋養強壮に主眼を置き、先ほど紹介した**麻油鶏**も出されます。料金は千差万別で、最近の傾向としては日本円で1泊1万5000～5万円が平均的な料金のようです。

この価格は、台湾人の収入を考えた場合、決して安いとは言えません。そのため、センター

台湾の産後保養センターの様子

には入らずに、出産して数日後に自宅に戻る母親もたくさんいます。

ただし、どんな家庭でも産後ケアである坐月子は必ず行います。滋養強壮のためのメニューをデリバリーしてもらったり、産後向けの薬膳料理である「**月子餐**（ユエズーツァン）」を注文したりと、女性の休養を第一に考えるのです。

この時期は、女性の母親や義母が身の回りの世話をしてくれます。産後ケアアシッターの派遣サービスもあり、これを利用する家庭も増えてきました。

日本では出産にかかる費用は出産育児一時金で賄うのが普通ですが、台湾では保険が適用されるので、出産費用は大きな負担にはなりません。

産後に関する台湾の環境は女性にとって非常に優れています。実際のところ、私自身も台湾で出産を経験してみたかったと思ったほどです。

産後保養センターや**坐月子に関連するサービス**、**食事のデリバリー**、**産後ケアシッターの派遣サービス**など、日本ではほとんど見ることのない産業が発達している事実も、日本人があまり知らない台湾の素顔の1つです。

月子餐

台湾社会を支える女性たち

——困ったときには誰かに助けを求めるという社会風土

台湾における妊婦や子連れの母親に向けられる配慮は、日本とは到底比べものになりません。例えば、バスや電車などの公共交通機関に妊婦や乳児を連れた母親が乗ってくると、誰もがすかさず席を譲ってくれます。また、妊婦がバスに乗車してくると、「皆さん、妊婦さんが乗ってきますよ！」とドライバーがアナウンスをし、見守る姿勢を見せてくれるのです。

そもそも、子育て全般に関する日本と台湾の考え方は大きく異なります。

日本では、乳幼児の世話は母親が中心的な役割を担う傾向がありますが、台湾ではその傾向はさほど強くありません。子どもは「一族の宝」と捉える人が大半なので、祖父母に子どもを預けて働きに出ている両親もたくさんいます。第２章でも触れたように、週末だけ両親が子どもの世話をし、平日は祖父母に世話を任せるという家庭も多いです。台湾人の知人から聞いた話では、台湾人の5割くらいが**「自分は祖父母に育てられた」**という感覚を持っているとのことでした。

産後ケアにも言えますが、台湾では「大変なときは自分1人で抱え込まず、誰かに助けを求めるもの」という考え方が浸透しています。それは子育てにも当てはまり、自分の両親に助けを求めるのは当然のことなのです。

ところで、外国人として台湾の人たちを見てみると、40代、50代の女性たちの社会貢献の大きさを感じることがよくあります。

学齢期に達した子どもたちの世話をしているのは、主に40代から50代の母親ですし、老親の世話をしているのもこの年代の女性たちだったりするのです。共働きをしながらそれらをこなしている人たちも多く、いつも忙しく動き回っています。

実際、**台湾では40代、50代の女性が最もパワフル**だと言われ、その存在感は相当大きなものです。**一家の財布のひもを握っているのも彼女たち**であり、子どもたちの教育資金のやり繰りや親族への贈り物の手配、老親の介護サービスの選択などもこの年代の女性が管理しています。台湾の多くの家庭では、40代から50代の女性が家族内の事柄に関する決裁権を持ち、一族を支えているのです。

彼女たちが老親の介護サービスの選択を任されているのは、台湾の年金制度が万全でないことも原因の1つです。政府からもらえる年金だけでは生活できない老人が多いため、どうしても子どもたちに頼らざるを得ません。子どもたちもそれが当然と考えているので、自発的に資金援助を行います。

祖父母が孫の世話をするのも、将来的に子どもたちの援助を受けることを視野に入れてのことかもしれません。こうした助け合いは一族の間で自然に行われています。日本では、老齢になった親を介護福祉施設に入れるケースは珍しくありません。しかし、台湾で子どもがそれをすると、親不孝だと見なされがちです。

共働きなどの理由で親の面倒を見られない場合は、**「外傭（ワイヨウ）」**と呼ばれる外国人のヘルパーを雇い、両親の世話をしてもらいます。外傭の多くはインドネシアやベトナム出身の女性たちで、彼女たちの存在は現在の台湾ではなくてはならない存在です。「困ったときは人の手を借りる」といった台湾式は日本にもっと浸透してもいいのではないでしょうか。

なぜ台湾には〝オネエ系〟がいないのか？

台湾におけるＬＧＢＴＱ（性的マイノリティ）に関する話題にも触れておきましょう。

台湾にもＬＧＢＴＱの人たちがいます。そうは言っても、彼らの存在は社会のなかであまり目立ちません。FtoM（体は女性だけど、心は男性）だからといって、意識的に男っぽい格好をする人は少なく、ユニセックスな装いをして周囲に自然に溶け込んでいるからです。

台湾ではＴＰＯをあまり気にせずにカジュアルな服装で過ごせることも、ＬＧＢＴＱの人たちをいたずらに際立たせない理由の1つなのかもしれません。

それと対照的なのが日本です。日本のテレビなどのメディアでは、オネエ系（体は男性だけど、心は女性。MtoF）の人たちが活躍している姿をよく見かけます。彼女たちは女性のような装いをしている人たちがほとんどです。日本の場合、外見を〝性別〟に寄せようとする傾向があるのかもしれません。

一方、台湾の場合は〝性別〟に寄せるような傾向はほぼないので、外見に関するプレッシャーからは解放されているように見えます。外見は女性そのものなのに「男性です」という人がいたり、男性に見えるけど、「ゲイです」という人がいたりして、型にはまっていない雰囲気が台湾にはあるのです。

そもそも中国語では、**日本語の「彼」「彼女」に当てはまる「他」「她」の発音はどちらも「ター」であり、発音上では違いがありません**。そんな事情もあり、ＬＧＢＴＱの人たちのことを彼らの性意識に関係なく「ター」と呼べるため、会話をする上でも混乱は生じないのです。

これらいくつかの側面は全体像の反映でもあり、台湾ではＬＧＢＴＱに対する差別的な意識が非常に低いことが窺えます。その証拠の１つとして、**２０１９年にはアジアで初めて同性婚が法令化されました**。

しかしながら、自分たちの一族の繁栄を考えて、身内の若い世代がＬＧＢＴＱであることを後ろ向きに捉える中高年世代が存在するのも確かです。とはいえ、台湾社会全体を見渡すと、ＬＧＢＴＱに向けられる視線がとてもフェアであるのは間違いありません。

多民族国家である台湾にとって、**それぞれの民族の違いを受け入れ共存することは昔から習慣化されています**。そうした習慣の存在が、ＬＧＢＴＱを受け入れる土台になっているのかもしれません。

義理と人情、慈善と寛容の国
──国と国、人と人をつなげていく恩返しの精神

義理と人情に厚いのも台湾人の特徴です。これは儒教に根差した価値観と言っていいでしょう。台湾では小学校で儒教を学び、長幼の序（年長者を敬うこと）や礼譲（譲り合うこと）を身につけていきます。こうしたことから、公共交通機関でお年寄りや妊婦に席を譲ったりする行動がすぐにできるのです。日本のように「誰かがきっと譲るだろう」というような空気になることは一切ありません。傍にいる誰かが「ここに

座ってください」と言って、席を必要とする人に必ず声をかけます。
日本と似ているのは、お寺に参拝する習慣があることです。ただし、日本と大きく異なる点があります。多くの日本人の場合、お寺に参拝すると、合格や安産、家内安全などの祈願をするのが一般的です。それは台湾でも同じですが、台湾の場合は、祈願して終わりではなく、**お礼参りも必ず丁寧に行います**。

慈善の精神が高いのも台湾のいいところです。それをよく表しているのが、**慈済基金会**という世界的に有名な団体の存在でしょう。台湾内では、大学や病院、テレビ局を運営しており、その名を知らない人はいません。仏教系のこの団体は、世界54の国や地域に組織を有し、様々なボランティア活動を行っています。

ビジネスで財を成した人がしばしば寄付先として選ぶのも、この団体です。それらの寄付は、大学やリサイクルセンターの運営などに使われています。

慈善のリサイクルセンター

2011年に東日本大震災が発生した際、翌日に現地入りしたのも慈済基金会のメンバーたちでした。彼らは3万円の現金が入った封筒を被災者たちに配って回ったのです。

大震災から3年が経過した2014年、東北に拠点を置く企業から依頼を受け、多大な支援をしてくれた台湾へのお礼ツアーを企画しました。このときのツアーでは、台湾の企業や自治体に加え、慈済基金会にも足を運んでいます。

合計で6カ所ほど訪問したのですが、どこに行っても**「日本は兄弟だから、日本が困っていたら助けるのは当然だよ」**と言ってくれたのがとても感動的でした。寛容さと救済精神に溢れているところは台湾人の魅力の1つです。

1999年、台湾中部で大地震が発生したとき、外国から最初に駆けつけたのが日本の国際緊急援助隊でした。東日本大震災に際して台湾が被災者に尽くしてくれたのは、恩返しという意味があったのかもしれません。日本と台湾は、特別な感情で結びついているのです。

日台の助け合いは、コロナ禍でも行われています。

2020年4月、マスク不足にあえいでいた日本に対し、台湾の蔡英文総統は200万枚ものマスクを送ってくれました。

その後、日本は台湾に向けて、数回にわたりワクチンの供給を行っています。

日本からのこのような支援に対し、台湾の人たちはいつもSNSなどに「日本ありがとう」という言葉や投稿をしてくれます。個人的な関わり合いの場においても、Zoomミーティングの背景に日本に対する感謝のメッセージを入れてくれたり、会議の初めに支援への感謝の挨拶をしてくれたりと、日本政府が行ったことにもかかわらず、個人である私たちに感謝を表してくれるのです。

台湾には、**「一滴の水のような恩にも、湧き出る泉のような大きさで報いるべし」**ということわざがあります。彼らはその言葉のとおり、いつも恩返しをしてくれる存在なのです。

“日本”を快く受け入れてくれる台湾

台湾に来てみると、日本のゲーム、アイドル、テレビ番組などに幼いころから親しんできた人が多いことに本当に驚かされます。その証拠に、日本語を熱心に勉強したわけでもないのに、好きなアニメや歌に触れているうちに自然と日本語を覚えたという人たちによく出会います。

新型コロナウィルス感染症対策としてソーシャルディスタンスを呼びかける政府のデジタルポスターに日本犬である**柴犬**を使うなど、日常生活の中に日本的なものが自然に浸透しているのです。柴犬は台湾で人気が高く、文房具店に行くと必ずと言っていいほど柴犬のキャラクターのシールが売られています。

庶民的な感覚として興味をそそられるのは、タレントの美輪明宏さんがちょっとしたブームになったことです。

美輪さんは、金運や幸運を運んでくれる人と台湾では思われており、金運や運気アップのために美輪さんの姿をスマホの待ち受け画面に設定している人がたくさんいるのです。

ブームのきっかけになったのは、台湾で流行ったドラマでした。そのドラマには、〝昭和のレディーボーイ〟のような人物が出ていて、その俳優が若いころの美輪さんにそっくりだったのです。

そこからにわかに美輪さんに注目が集まり、ある女性が**「待ち受け画面を美輪さんにしたら、すごく金運が上がった」**とツイートをすると、そこから一気に盛り上がり、美輪さんブームが巻き起こりました。

さらにブームは変化して、今では金ぴかの背景と美輪さん風のきらびやかな衣装に自分の顔を差し替える顔合成アプリも登場しています。

このブームは台湾のニュースでも取り上げられ、「台湾ではすべての人がパソコンやスマホの壁紙を美輪さんに変えた！」と噂されるくらいの人気ぶりでした。

日本のアニメやゲームなどは、すでに世界的に人気になっています。しかし、それに飽き足らず、美輪さんのような日本の有名人をすんなりと受け入れてしまう土壌が台湾には存在するのです。

台湾人の爆買いの対象となった日本のお菓子

台湾で大人気になった日本のものは、動物や有名人のほかにもたくさんあります。例えば、2010年代の半ばごろには、チョコレート菓子の**「ブラックサンダー」**が突如、台湾人の間で爆発的な人気になりました。ある有名なブロガーが「これ、すごく美味しい」と紹介したことが、ブラックサンダー人気に火を付けたのです。

これが本当に驚くほど売れまくり、台湾内では常に品薄になる状態が続きました。そこで、しびれを切らした台湾の人たちは、日本でブラックサンダーの爆買いを始めます。

特に2014年ごろは、それが顕著だったと言っていいでしょう。空港や新宿などの繁華街のコンビニやスーパーでは台湾から来た人たちによって根こそぎ買い上げられてしまうので、「ここにはブラックサンダーは売っていません。売り切れです」という中国語の貼り紙がされるほどでした。

この時期、かなりの量のブラックサンダーが日本から直接台湾に持ち込まれたのではないでしょうか。その熱狂ぶりは、台湾の夜市に行くたびに直に感じることができました。ブラックサンダーの日本での定価は、通常サイズで定価30円です。ところが、台湾の夜市では、約10倍の３００円ほどで売られていたのです。

ちょっとしたきっかけで、日本の物品が爆買い対象になるという現象が台湾ではしばしば起こります。そんなことからも、台湾の親日的な雰囲気を感じさせてくれるのです。

誰も取り残さない台湾社会
――多様性を認め、社会的マイノリティを包摂する

台湾には、漢民族のほかに、タイヤル族やブヌン族、アミ族などの16の原住民が暮らしています。彼らは、大陸から漢民族が渡ってくる前から台湾に住んでいた人たち

です。原住民は、台湾の全人口2360万人のうち、わずか約2・3％を構成するに過ぎませんが、台湾を多民族の社会たらしめる彼らの存在はとても重要です。

台湾が多民族の社会であることは、鉄道や地下鉄に乗っていても感じます。車内のアナウンスに耳を傾けると、最初に中国語が流れ、その次から台湾語（ホーロー語）、客家語、英語の順で4言語の案内が流れてくるのです。台湾の多くの人たちは、自分たちの住む社会が多種多様であることをすんなりと受け入れています。

2016年に蔡英文が総統に就任してからは、原住民の歴史や文化を尊重する動きがさらに加速しました。蔡総統は「原住民族歴史正義與轉型正義委員会」を設立すると、過去の原住民への差別や偏見の歴史を学び、それぞれが共存できる社会を作ることを宣言しました。

さらに2019年、台湾政府は「国家言語

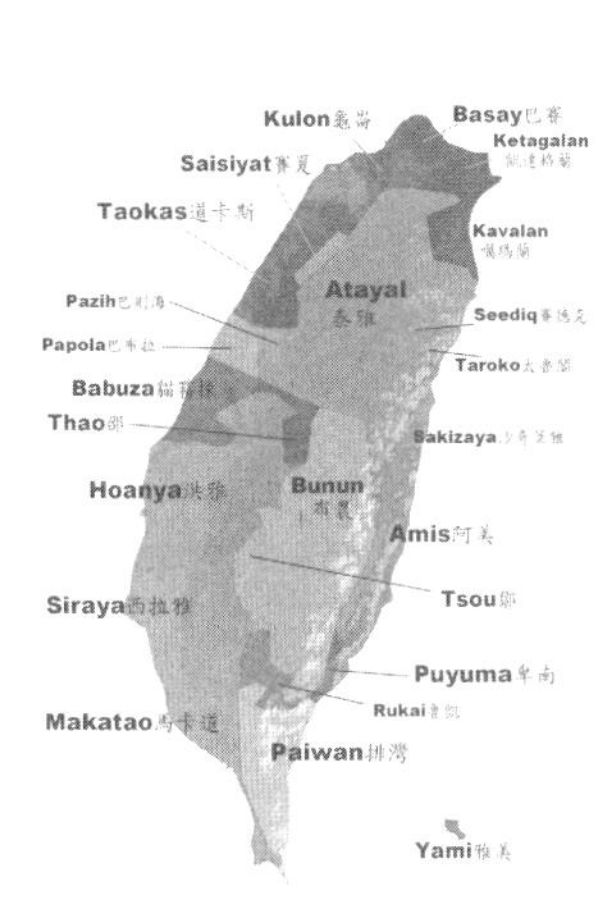

台湾原住民を表した地図

発展法」を制定し、いずれの少数言語も尊重保持するという姿勢を明確に打ち出しています。原住民の言語は「族語」と呼ばれ、たった5人しか常用していないサーロワ族の言語も保護研究対象になりました。

各原住民の言語でニュースや情報を伝えるテレビチャンネルが立ち上げられたり、最近ではセレクトショップやお土産店でも原住民の民芸品を見かけたりする機会が増え、台湾文化の豊かさを象徴する特色の1つとして注目を集めています。

こうした社会的包摂（ソーシャル・インクルージョン）の傾向は、2015年に国際連合によって「持続可能な開発目標（Sustainable Development Goals：SDGs）」が設定されて以降、非加盟国ながら台湾でも強まりを見せていきました。

2019年5月、アジア初となる同性婚の法制化を実現したのも台湾でした。法制化以降、すでに1000組以上のカップルが台湾国内で結婚しています。

2019年に発表された国連開発計画（UNDP）の**ジェンダー不平等指数**に非加盟国の台湾の国際ランキングデータを当てはめてみると、**アジア諸国で1位となる6位に相当する**ことがわかります。ちなみにこの指数における日本の順位は25位でした。

SDGsには、気候変動に対抗する目標も掲げられています。この目標のために重要なのは、**二酸化炭素排出量の削減**です。これを達成するために、自転車メーカー大手のジャイアントは、スクーター社会の台湾に自転車を普及するため、交通系ＩＣカードと連携させたレンタサイクル事業「YouBike」を始めています。

一方、電動スクーターを開発するGogoroは、すでに述べたとおり、台湾全土にバッテリーステーションを設置し、バッテリーを交換しながら運転できるような環境を整備しました。

また、以前からあるシステムとしては、**衣服寄付ボックス**も街中のあちこちで見かけます。不要になった衣服が回収されたあとは、東南アジアやアフリカなどの国々に寄付される仕組みです。仕分けや分別、発送などの作業には、先ほど紹介した慈済基金会のボランティアメンバーが参加しています。

Youbike

多民族の社会である台湾では、今のような平等社会が昔から成立していたわけではありません。かつては原住民に対する不平等も存在し、あとから台湾にやって来た漢民族との関係が良好でなかった時期もあったのです。

ただし、そうした時代を乗り越えた結果、ようやく今の調和意識を持つことができました。こうした調和意識は原住民に対してだけでなく、ジェンダーの問題に対しても確実に広まっています。

それを証明するのが、LGBTQであることを明かしている著名人の存在です。

何人かの例を挙げると、小説家の陳雪はレズビアンであることを公表し、女性と同性婚をしています。元ゲームクリエイター、アプリ開発者で、現在台北市議を務める林穎孟は、バイセクシャルです。

「台湾で最初にゲイであることをカミングアウトした男性」として知られる祁家威は、著名な社会活動家であり、同性結婚憲法解釈訴訟の申立人でした。彼は1986年にパートナーとの結婚を役所に届け出るも、却下されるという経験をしています。以来、長年にわたり、LGBTQの地位向上のために運動を続け、その活動が認められた結果、2020年には『時代雑誌』が選ぶ「影響力のある100人」に選出されました。

ジェンダーフリーの意識が高く、調和意識が根付いている台湾では、日本に比べると断然カミングアウトしやすい社会が醸成されています。

先述のように、台湾ではすでに多民族性に基づいた生活文化を受け入れ、宗教や言語の違いを互いに認め合っているため、人々は国籍やジェンダー格差や宗教の違いにも寛容です。だからこそ、言葉が通じない外国人に対しても気軽に手を差し伸べてくれるのでしょう。

私自身も台湾で生活し始めたときは中国語がまったく話せず、街中で地図を広げながら行き先を探すのに必死になることがよくありました。そんなときは決まって、「どこに行きたいのか」と尋ねてくれる人が現れ、助けられたものです。不慣れなままバスに乗ったときも、バスの運転手が「この日本人の降りるバス停で声をかけてあげてくれ」と乗客に声を掛けてくれました。

こうした体験を何度もした私にとって、台湾内のマイノリティに対して寛容な社会が築かれている台湾の現状は、これといって驚くものではなく、ごくごく自然なものに映ります。

第5章

台湾はどうやって新型コロナ禍を乗り切ったのか

Taiwan's growth strategy is the best model.

コロナ対策の初動に見事成功した台湾
——政府による素早い対策の導入と市民に安心を与える丁寧な説明

2003年7月、前年に中国で発生したSARS（重症急性呼吸器症候群）が台湾に上陸すると、80人近くの人が亡くなるという事態に追い込まれました。

当時、ある病院でSARSの第一発症者が見つかると、政府は突如、その病院を完全隔離するという強硬策を取ります。

このとき、たまたま病院のトイレを借りていたタクシーの運転手まで隔離される事態が発生し、それが表沙汰になると、国内では大きな批判が巻き起こりました。最終的には院内感染が広がり、多くの人が命を落とすことになったのです。

このときの教訓を忘れなかった台湾は、2019年に新型コロナウイルスの発生が中国で報告されると、すぐに徹底的な水際対策を実施し、厳重な入境制限を行いました。

とはいえ、2020年に入ると、台湾でも新型コロナウイルスの感染者が増えていきます。そこで政府は新型コロナウイルスの拡散を防ぐために、中央流行疫情指揮センター（CECC）を早急に設立するのです。

センター設立以降、毎日欠かさずに定例会見を行い、記者からの質問が尽きるまで丁寧に回答していたのが、センターの指揮官を務める**陳時中センター長**でした。彼は2022年2月の時点でもこの定例会見を毎日行っていました。陳センター長の真摯な姿勢は台湾に安心感を与え、次第に英雄視されるようになります。

台湾が実際に取り入れたコロナ対策は、**実聯制（実名登録制）の導入**でした。公共交通機関や店舗などのほとんどの場所で、利用者には名前と電話番号などの連絡手段を残すことが義務づけられたのです。

このときに使われたシステムの開発は、台湾のIT化を推進するオードリー・タン＝デジタル担当大臣と中華電信などの企業の開発チームが主導して構築されました。その内容は、各所で**QRコードを読み取り、無料防疫ホットライン「1922」にシ**

ヨートメッセージを送れば、実名登録の手続きが5秒ほどで終了するというものでした。

ショートメッセージの送信料はすべて無料で、会員登録やアプリをダウンロードする必要もなく、メッセージは28日後に削除される仕組みとなっているため、個人情報が店舗などに残る心配もありません。こうして人の動きを把握することで、感染者が出たときの感染源の素早い発見と、濃厚接触者の特定をスムーズにできるようにしたのです。

これにより、台湾は新型コロナウイルス感染症の爆発的な大流行を食い止めることができました。

コロナ期間中の景気刺激策

2020年、コロナ禍で消費が落ち込んだ日本では、景気のテコ入れを目的とした「Go To トラベル」や「Go To イート」が導入されました。同年、台湾においても日本のような景気支援策が実施されています。そのなかで最も特徴的だったのが、**振興券の発行**でした。

２０２０年から２０２２年にかけてのコロナ感染に伴い、日本と同様、台湾でも店舗やイベント業界の業績が低下し続けていました。

そこで台湾政府は、街角景気を刺激するためとして、コロナ禍によって打撃を受けた産業の支援を目的とした振興券を２０２０年と２０２１年の２回に分けて発行したのです。

２０２０年に発行された振興券の内容は、１０００台湾元で３０００台湾元分の商品が買えるというもので、別名**「振興３倍券」**と呼ばれました。この券が市民によって利用されたことで、約１０００億台湾元もの経済効果を生み出したのです。

２回目となる２０２１年の振興券は、健康保険カードを提示することで、１人１回に限り５０００台湾元分の券が受け取れるというものでした。こちらは**「振興５倍券」**と呼ばれています。

実店舗である飲食店や夜市、伝統市場などをはじめ、芸能・文化イベント、宿泊施設、台湾高速鉄道、台湾鉄道などで使用できる一方で、ネットショッピングや株式投資、公益事業、罰金、健康保険料、税金などの公共料金支払い、プリペイドチャージなどには使用不可とされました。

振興券の発行は、消費刺激策として産業復興の一助となったのは間違いありません。発行当時、消費者のほぼ半数が日用品購入に充てると回答し、実際に多くの消費者が振興券の発行と連動したセールやキャンペーンを利用して商品の購入を行いました。

２０２２年に入り、台湾内での感染が収まりつつあるため、人々の外出の頻度も増えてきました。コロナ禍で停滞続きだった実店舗での消費が伸び、街角景気がかつての活況を取り戻すことを多くの台湾の人たちが期待しているところです。

オードリー・タンや陳時中がコロナ禍で果たした役目

――ユーモアのセンスを持つ

台湾を襲ったコロナ禍のさなか、毎日、カメラの前で丁寧に記者たちの質問に答えるＣＥＣＣの陳時中指揮官の姿勢は、市民から高い評価を受けました。記者からの質問がなくなるまで回答し続けるのが彼のスタイルであり、その結果、会見時間が３時間を超えることもあったのです。

陳時中はコロナ対策における功績を多くの人から称えられ、それが２０２２年11月の台北市長選への出馬（結果は次点となり、落選）に結び付いていきました。

彼と並び、デジタル担当大臣を務めるオードリー・タンもそれまで以上の存在感を示しています。

人の動きを把握するための登録実名制の導入をする際、タンは誰もが簡単に操作できるアプリを開発しただけでなく、マスク不足に陥りかけていた２０２０年２月の時点で、マスク販売店の在庫の有無が瞬時にわかるアプリ**「マスクマップ」**を開発し、市民に安心感を与えたのです。

そんなタンが市民の多くに受け入れられているのは、ユーモアあふれる性格も一因となっています。

それを象徴するのが、彼女が発したメッセージでした。

「皆が持っているお尻は1つ」

「皆が持っているお尻は1つ」

こんなメッセージと共に、頭髪の薄い台湾の行政院長（首相に相当）が後ろ向きでお尻をフリフリしている姿を描いたデジタルポスターをＳＮＳ上に投稿したのです。

このメッセージは、トイレットペーパーの買い占めを抑制するために考えられたものでした。

人を動かすときは頭ごなしに命令するのではなく、ユーモアを交えて語りかけたほうが効果を期待できる。

タンにはこうした考えがあったのです。

台湾人の口癖に**「一笑一少、一怒一老」**という言葉があります。「1つ笑えば1つ若返る、1つ怒れば1つ年をとる」という意味のこの言葉には、なるべく怒らずにユーモアで物事を乗り切ろうとする台湾の人たちの心情がよく表れています。コロナ対策にも、こうした市民性がうまく発せられたのです。

ユーモアたっぷりのメッセージとしては、**犬を用いたデジタルポスター**も注目を集めました。

こちらのポスターはソーシャルディスタンスの確保を促すものでした。それを伝えるために柴犬を登場させ、室内なら柴犬の体長3頭分、室外なら柴犬の体長2頭分のスペースを取るように訴えたのです。この柴犬の可愛らしさが多くの人から好感を得て、政府が伝えたかったメッセージを届けることができました。

新型コロナ感染症に関するメッセージを発するとき、台湾政府はユーモアのセンスを発揮しつつ、情報伝達にうまく役立てているのです。

日本も台湾のような発信方法をもっと見習うべきなのかもしれません。

政府メッセージを伝える柴犬

オープンな横のつながり
――緊急時にすぐに動けるコミュニティ

オードリー・タンの強みは、ＩＴエンジニアたちのコミュニティの一員であることです。コロナ禍が深刻さを増し始めたときにアプリの「マスクマップ」を迅速に作れたのも、人の動きを把握する実名登録制をスムーズに導入できたのも、彼女が所属するエンジニアたちのコミュニティが全面的にバックアップしたからこそ可能になりました。

さらにタンがすごいのは、**自分たちが開発したシステムをオープンソースにしてしまう**ところです。これにより、タンたちが構築したシステムを誰もが使えることになりました。彼女は以前から、ソーシャルイノベーションを起こすには、様々なコミュニティが**自分たちの有している能力を社会に還元することが大事**だと語っており、コロナ禍にあってそれを自ら実践したのです。

優秀な能力を持った少数の人間が国や社会をリードしていくのではなく、多様な人々によるアイデアや能力へのアクセスをオープンにし、それを活用して自分たちの社会に役立つものを作り上げていくべきだという考えがきっとタンにはあるのでしょう。

実際のところ、「マスクマップ」には彼女の考えが色濃く反映されていました。プラットフォームを作ったのはタンのコミュニティでしたが、**各店舗の在庫情報をアップデートしていくのは民間の人たちや企業などの協力によって行われていた**からです。

こうした好循環が生まれた結果、新型コロナ禍に対する不安が膨らむ一方だった２０２０年の前半期、台湾では官民が一体となって台湾人全員に恩恵をもたらすシステムが見事に機能していました。これがタンの考えるコミュニティの力なのです。

日本の場合、完璧さを求めるあまり、「マスクマップ」のように官が民の力を借りて何かを作り上げていくようなシステムがなかなか成立しないイメージがあります。

確かに、平時ならそれでも支障はないかもしれません。ただし、緊急を要する際には、完璧さよりも目の前のニーズを少しでも満たすことが大切なケースもあります。

こうした事態に見舞われたとき、タンが思い描くコミュニティの存在はいち早く効率的に力を発揮するような気がします。

台湾企業も政府のユーモアに便乗!?

新型コロナ感染症に関連する台湾政府の対応では、マスクの色についての見解が大きな話題を呼んでいます。

2020年4月、台湾では市民全員に向けてマスクの配布を行っていました。緊急なことなので政府はマスクの色のことまで考えられず、性別に関係なく、白やブルー、ピンクのマスクを配布したのです。

しかし、このときにある問題が起きました。小学生の男の子がいる多くの家庭にピンクのマスクが届いてしまったのです。

ピンクが気に入らなくても、わがままを言える状況ではないので、男の子たちはピンクのマスクを着けて小学校に行きました。ところが同級生から「女の子みたいなマスクをしてる！」とからかわれてしまったのです。

これを受け、「学校に行きたくない」と訴える小学生の男の子たちが続出し、多くの苦情が政府に届きました。

素晴らしかったのは、その後の政府内の大人たちの対応でした。

定例記者会見に臨んだＣＥＣＣの**陳時中センター長をはじめ、同席した関係者たちが皆、ピンクのマスクを着用していた**のです。

「ピンクはいい色だよ。マスクは色よりも、ウイルスから身を守る機能が大切ですよ」

このとき陳はこう発言します。また、「小さいころは、ピンクパンサーのアニメが大好きだった」と付け加えました。

その後、蔡総統も**「ピンクは女性だけでの色ではありません」**というメッセージを自身のインスタグラムに投稿しています。これ以降、ほかの閣僚たちもピンクのマスク姿で公式の場に現れるようになるのです。

政府関係者の発言が発端となり、台湾では**「ピンクマスク運動」**が一斉に始まりま

「ピンクマスク運動」で政府機関のロゴもピンクに変更

した。政府の姿勢に共鳴した企業各社は、自社のロゴをピンクにして「ピンクマスク運動」に賛同したのです。

このときも台湾は、柔軟性とユーモアの心をうまく活用して、子どもたちの不安を取り除くことに成功しています。

この一連の出来事が台湾社会にとって重要だったのは、この騒ぎが単なるマスクの問題として終わらなかったことでしょう。大人たちが率先して**「身に着けているものの色で人を差別してはいけない」**という姿勢を見せたことで、結果的に社会全体にジェンダーフリーの意識がより広まっていったのです。

ピンクのマスクを巡る動きは、台湾の美点である寛容さとインクルージョン（包摂）の精神を世界に見せつけることになりました。

ウィズコロナへの方向転換
——方向転換を速いスピードで決断した政府

感染の拡大防止に成功していた台湾でしたが、2021年5月になると、感染者数が一気に206人にまで増加し、感染が発生して以来、最も深刻な危機に見舞われます。

これを受けてCECCは、コロナ感染の警戒レベル（第1級が最も緩く、第4級が最も厳格）を第3級に引き上げました。

第3級の警戒レベル下、台湾内の飲食店は一律テイクアウトのみの営業となり、さらに室内5人以上、屋外10人以上の集会が禁止されます。そのほか、学校などの施設の閉鎖、分散勤務、テレワーク、時差通勤など、コロナ禍において企業の運営を継続させるために様々な対応措置が講じられました。

その結果、学校の授業はオンラインに切り替わり、企業もほぼテレワークに切り替わります。学校のグラウンド開放は中止、スポーツセンターも閉鎖されました。

しばらくすると、ステイホームで太った人が増え、その反動からネットショップでは在宅健康器具やトレーニンググッズの売上が伸びていきます。さらにキャンプに出掛ける人が増加し、アウトドア用品の売り上げを押し上げました。

飲食店では店内飲食が禁止され、テイクアウトのみとなったことで、フードデリバリーが大幅に成長し、テイクアウトだけでは商売にならず、foodpanda や Uber Eats を使う人が増加した反面、閉店する飲食店が急増していきます。

百貨店も、売上減少の大きな打撃を受けました。開店はしてはいるものの、外出自粛により客足が大幅に激減し、売上が急激に落ちたのです。

台湾では、新型コロナウイルス感染症の発生当初、海外からの入境者に対する厳しい規制が実施されています。帰省者や入境者に対し、14日間の完全隔離を課し、指定ホテルでの滞在を義務づけたのです。隔離中にホテルの廊下に出ただけでも20万台湾元から100万台湾元の罰金が科されるというルールも導入されました。

外出時のマスク着用もルール化されました。これに違反をすると3000台湾元以上1万5000台湾元以下の罰金を覚悟する必要があったのです。

規制が第2級に引き下げられた2021年10月以降も、引き続き原則外出時のマスク着用、実名登録制、ソーシャルディスタンスの遵守が求められ、室内80人、室外300人までの集会活動に制限されました。

その後、だんだんと落ち着いていった台湾ですが、再び警戒が高まったのは2022年の春節の帰省シーズン（2月第1週）のころでした。

海外在住の台湾人は70万人以上いるといわれています。彼らの中には春節のために帰省しようとした人たちがたくさんいました。しかし、航空券は手配できたものの、隔離のための指定の防疫ホテルが満室状態のままでした。これにより、多くの人たちが帰省を断念したといわれています。

その後、状況は再び落ち着き、2022年3月の時点で、台湾政府は方向転換をする姿勢を見せ、隔離期間を10日に縮小した上で、ビジネス客の受け入れを再開しました。

そんななか、2022年4月には蔡英文政権が**「新台湾モデル」**の感染対策を打ち出します。オミクロン変異株の特性を考え、大多数を占める軽症と無症状感染者は原則、自宅隔離に改めるもので、「ゼロコロナ」から事実上「ウィズコロナ」へ舵を切りました。翌月27日には、1日あたりの新規感染者数が過去最高の9万4808人を記録しましたが、その後は1日3万人台までに下降しています（2022年7月2日現在）。ちなみに、2022年9月11日までの台湾でのコロナ累計感染者は568万2133人、累計死亡者は1万284人です。

このように、世界より一歩遅れてコロナの感染拡大を経験することとなった台湾ですが、すでに世界的にウィズコロナへの移行が進んでいたことや、台湾内におけるワクチンの接種率が増加（22年9月7日時点で、3回目接種率約80・8％。日本は88・1％。複数接種率で世界1位は日本、2位は台湾、3位は韓国）していることを受けて、ウィズコロナ社会への変容を明確に目指すようになりました。

台湾では、ワクチンの接種促進を図るために、日本の「Ｇｏ Ｔｏトラベル」に似た観光促進補助キャンペーンが実施されています。まずは政府の接種証明サイトに登録したあと、ワクチンを打っている人は国内旅行時に補助が出るという仕組みで、ホテル予約時にワクチンを2回打っていれば800元、3回打っていれば1300元の補助が受けられるという内容です。この補助は、1人1回のみ利用できます。

9月7日からは、1週間当たりの入境制限も2万人から5万人に増員され、3日間の隔離期間のあとは、自主防疫を4日間行うというルールに緩和されました。ワクチン証明により搭乗前のPCR検査が不要となり、観光の門戸も開きつつあります。

アフターコロナの初期における台湾からの出境については、まずはビジネス需要からの渡航が再開され、観光については「台北圏在住」「若年層」「ヘビーリピーター」「時間的・経済的余裕あり」「同居家族なし」などの条件を持つ層がターゲットになると考えられます。

なお、台湾からの旅行先として日本の人気はまったく衰えておらず、今後の希望海外旅行先に関する各種調査では、**いずれも日本がダントツで1位**です。日台の行き来が再び活発になることを切に望みます。

おわりに

プロジェクト「ありがとう、台湾・XIE XIE（謝謝）RUN&AID」を発足

私が台湾と関わるようになってから、早いもので18年の年月が経過しようとしています。その間、ずっと感じ続けてきたのは「台湾が日本に寄せる思い」でした。初めての台湾旅行で、思わぬきっかけで中部・雲林県の斗六市を訪れ、現地の人から熱烈に歓迎してもらって以降、台湾の人たちが日本に傾ける熱い思いに何度も触れてきました。

それらのなかでも特に私の気持ちを大きく揺さぶったのは、2011年の東日本大震災の発生後に、台湾の人たちが200億円を超える義援金を日本に届けてくれたことです。これらのお金は台湾政府や大企業による寄付だけではなく、民間人1人ひとりからの献金によって集められたものでした。

震災発生後、台湾のテレビ局では急遽、チャリティー番組が放送され、著名人が募金を呼びかけると、多くの人たちがそれに応えてくれました。こうした動きも後押し

となり、結果的に日本は台湾から最大の義援金を受け取ることになるのです。

しかし日本は、台湾からのこうした熱い思いに背を向けてしまいます。

震災から1年後、日本政府主催による「震災1周年追悼式典」が行われると、羅坤燦・駐日副代表が台湾代表として出席しました。ところが羅副代表は、外交使節団のために用意された来賓席ではなく一般席に案内され、しかも台湾の代表として指名献花することを許されなかったのです。

台湾に対するこうした非礼が行われたのは「外交関係がない」という杓子定規な解釈を盾に中国政府の顔色を窺ったためだと捉えられ、多くの日本人が日本政府を批判することとなりました。

日本政府だけでなく、日本の人たちのなかにも震災後に台湾が献身的に支援してくれた事実を知らない人がたくさんいます。

「チャリティー番組を放送してくれた」

「200億円を超える義援金を送ってくれた」

こう話すと、「全然知らなかった」という答えが返ってくるのです。

そんな状況を見て、心を痛めた日本のあるデザイナーが「政府が台湾に感謝を伝えられないなら、民間で伝えよう」と思い立ち、クラウドファンディングを立ち上げます。それによって集まった2000万円ほどの資金を使い、台湾の新聞や雑誌、テレビに「ありがとう、台湾」という広告を出したのです。

この広告を見た私は、何かに心を強く突き動かされます。

「プライベートでもビジネスでも台湾と深く関わっている自分も何か恩返しがしたい」

そんな思いに駆られました。

そこでブランド戦略のコンサルタントとしてこれまで数々のプロジェクトに携わってきた旧知の村尾隆介さんの力を借りながら考えついたのが、台湾で行われているマラソン大会に日本のランナーに参加してもらい、走りながら震災支援感謝の気持ちを伝える＝XIE XIE（謝謝）RUN&AIDという企画でした。

そのアイデアがついに形となり、2017年に台中市の郊外に位置する彰化県で開催される「田中マラソン」で「ありがとう、台湾・XIE XIE RUN&AID」を実施する運びとなるのです。

「XIE XIE RUN&AID」では、日本からの参加者に「ありがとう、台湾」とプリントされたTシャツを着て走って（RUN）もらったり、ランナー参加とは別に、被災地の高校生たちが実際に台湾に来て、コース途中にあるエイドステーションで応援（ＡＩＤ）したり、震災支援感謝を伝えるステッカーを配ったりするというプログラムを行いました。

「ありがとう、台湾・XIE XIE RUN & AID」
https://run2thank-taiwan.com/

１回目以降、２０１８年は「台北マラソン」「田中マラソン」、翌２０１９年は「台北国道マラソン」に参加し、「ＸＩＥ ＸＩＥ ＲＵＮ＆ＡＩＤ」を実施してきましたが、新型コロナの流行があり、現在は中断を強いられているところです。

台湾から発せられた日本支援は、東日本大震災のときに限りません。２０１６年の熊本地震が起きたとき、蔡英文総統はツイッターを通じて日本語で真っ先にお見舞いの言葉を投稿し、のちに台湾からは義援金が送られています。日本が大きな災害に見舞われるたびに、台湾は常に日本に手を差し伸べてくれる存在なのです。

企画の参加者たち

本書では、主にビジネスという観点を軸に台湾の多彩な顔を紹介してきました。

このメインテーマの傍らで、私が読者の方々にお伝えしようと考えていた第二のテーマは、台湾が日本に対して常に注いでくれる親しみに満ちたまなざしについてでした。本書を通じ、そのまなざしの一端に触れてもらえたならば非常に嬉しいです。

ありがたいことに、日本国内で台湾に興味を持つ人の数が増えていると実感する機会はかなり多くなりました。しかし、その数はまだまだ少な過ぎます。

本書を手に取った方々が、これまで以上に台湾への興味を膨らまして、関わりを深めていってくれたなら、著者としてそれに優る喜びはありません。

これからも日本と台湾の間で良好な関係が築き続けられ、今以上に両想いになれることを心から願っています。

著者

謝辞

ここまで読んでくださった皆さんありがとうございます。

そして本書出版にあたり尽力してくださった方々全員に心から感謝します。

本の出版は私が描いていた未来に実現させたい「夢の宝の地図」の中の1つの目標でした。とはいえ本当に実現できるとは夢にも思っていませんでした。「自分はまだまだ未熟で、台湾を語れる専門家は他にたくさんいるはず」「自分の実績や考え方が他の人の役に立つのだろうか」と自分に自信がなかったからです。

そんな中、「裕実子さんなら本が書ける」と背中を押してくれた村尾隆介さん、出版のいろはを教えてくださったブックエージェントの糸井浩さん。最後の最後までより良き書籍にするために尽力して下さったかんき出版編集の米田寛司さん、ライター野口孝行さんに心から感謝します。

そして台湾の情報収集をサポートしてくれたり、アドバイスをくれた、弊社ファブリッジの顏嘉蒂、黄士杰、呉念寰、林珊羽。何佑真さん、山本将人さん、近藤弥生子さん。長い執筆期間、応援し支え続けてくれた主人や子どもたち、友人たち。

その他携わってくれた多くの方々に感謝いたします。

参考文献

『オードリー・タンの思考〜IQよりも大切なこと』近藤弥生子著　ブックマン社
『台湾のことがマンガで3時間でわかる本』西川靖章、横山憲夫著　明日香出版社
『日本人が知りたい台湾人の当たり前』二瓶里美、張克柔著　三修社

MEMO

MEMO

MEMO

【著者紹介】
御堂　裕実子（みどう・ゆみこ）
◉——1979年生まれ。明治学院大学卒業後、日本での広告代理店勤務を経て、台湾国立政治大学へ留学。帰国後2008年に台湾と日本の事業の架け橋となるべく、合同会社ファブリッジを立ち上げる。2017年には台湾Fabridgeを設立。
◉——台湾企業とのマッチングや現地デパート、スーパーでの販売プロモーション、EC販売企画運営、日台輸出入物流サポート 、マーケットリサーチなどの事業を行っている。日本の地方自治体のアウトバウンド支援や、食品会社、不動産企業、教育事業など様々な業界の台湾進出を手がけ、支援企業は200社を超える。本書が初めての著書となる。

ブックデザイン：鈴木大輔、中條世菜（ソウルデザイン）
編集協力　：野口孝行
DTP　：小林祐司
企画協力　：糸井浩

成長戦略（せいちょうせんりゃく）は台湾（たいわん）に学（まな）べ

2023年1月16日　　第1刷発行

著　者——御堂　裕実子
発行者——齊藤　龍男
発行所——株式会社かんき出版
東京都千代田区麴町4-1-4 西脇ビル　〒102-0083
電話　営業部：03(3262)8011㈹　編集部：03(3262)8012㈹
FAX　03(3234)4421　振替　00100-2-62304
https://kanki-pub.co.jp/

印刷所——図書印刷株式会社

 ISBN978-4-7612-7650-8 C0030